D0900851

# HISTORIAS QUE PASAN

## LAS AVENTURAS DE MAT Y ROB

### Nivel intermedio-avanzado

SOCIEDAD GENERAL ESPAÑOLA DE LIBRERÍA, S. A.

Primera edición en 2002

Produce: SGEL-Educación
Avda. Valdelaparra, 29
28108 ALCOBENDAS (Madrid)

© Carmen Piedad Gil Guerra, 2002
© Sociedad General Española de Librería, S A., 2002
Avda. Valdelaparra, 29 - 28108 Alcobendas (Madrid)

Coordinación editorial: Julia Roncero

ISBN: 84-7143-964-6
Depósito Legal: M. 54.595-2002
Impreso en España - Printed in Spain

Cubierta: Pilar Lázaro
Ilustraciones: Azul Comunicación

Composición e impresión: Nueva Imprenta, S. A.
Encuadernación: F. Méndez

# Índice

PRÓLOGO ............................................................................ 5

I. EL COMIENZO DEL VIAJE ..................................... 7
   La carta ................................................................. 7
   Una nueva oportunidad ......................................... 8
   Caras nuevas ......................................................... 9

II. RETRATOS ............................................................ 13
   Jimena ................................................................. 13
   Beatriz ................................................................. 14

III. AVENTUREROS .................................................... 19
   En la noche ......................................................... 19
   Al amanecer ......................................................... 21
   El desayuno ......................................................... 22

IV. LOS PATIOS ........................................................ 26
   Comida y conversación ......................................... 26
   El almuerzo real ................................................... 28
   El patio de Lola ................................................... 29

V. ANDANDO EL CAMINO ......................................... 32
   La vida como un camino ....................................... 32
   La decisión ........................................................... 34

VI. UNA CIUDAD ROMANA: SEGOVIA ......................... 39
   Regreso al pasado ................................................ 39
   Venus es el amor ................................................. 41

VII. LA ESPADA DE TOLEDO ..................................... 46
   En la ciudad ......................................................... 46
   En la tienda ......................................................... 47
   La armadura ......................................................... 49

VIII. FIESTAS ........................................................... 53
   Reproches ............................................................. 53
   Acción ................................................................. 54

El baile ................................................................................ 55

El gran salto ........................................................................ 56

IX.   CUATRO ESCENAS ................................................................ 60

En los callejones ................................................................ 60

Tertulia en el café .............................................................. 62

En la calle Mayor ............................................................... 63

X.   LA CATEDRAL: BURGOS ...................................................... 67

La nieve ............................................................................... 67

Jimena ................................................................................. 69

La casa rural ....................................................................... 70

XI.   EL CASTILLO DEL PRÍNCIPE ............................................... 74

Paisajes ............................................................................... 74

Consejos .............................................................................. 76

XII.   LA ISLA ................................................................................ 80

Un encuentro ...................................................................... 80

Una pelea ............................................................................ 81

XIII.   EN EL PUERTO ..................................................................... 84

La fiesta .............................................................................. 84

Sorpresa .............................................................................. 86

*Mercedes Hernández*

# Prólogo

Mat y Rob nos llevan a descubrir la realidad y la actualidad de la cultura y de la sociedad española mientras van de viaje por distintas ciudades de España: Segovia, Burgos, Toledo, Granada, Lanzarote... La aventura les da la oportunidad de adentrarse en un mundo nuevo y desconocido para ellos.

Los dos son muy jóvenes y expresivos; sin embargo, sus personalidades son tan distintas y complementarias que permiten apreciar los contrastes culturales ante las distintas situaciones de la vida: el amor, la duda, el miedo ante lo desconocido, la separación, los estudios, las costumbres de los españoles, etc.

Para ellos, España es un mundo que pertenece al viejo continente y del que conocen algo por los libros que han leído en las clases de literatura. Quieren descubrirlo de nuevo y, al final, se dan cuenta de que las cosas han cambiado, de que la historia y sus personajes han evolucionado, pero que todavía, al igual que en las novelas del pasado, siguen apareciendo en el camino que recorren situaciones que les sorprenden. Ellos serán los protagonistas porque van a vivir la historia por sí mismos.

# I. El comienzo del viaje

## La carta

Cuando Mathew Salomon estaba leyendo su correo electrónico, de pronto vio el mensaje que había escrito siete meses atrás a una universidad española. Decía así:

> Estimado profesor:
>
> Regresé de España el 7 de septiembre de 2002, después de estudiar en la universidad de Salamanca un curso de Lengua y Cultura española. También impartí clases de inglés en una academia priva-

da. Sin embargo, mi verdadera profesión es la de empresario. Quisiera reanudar mis estudios y ser un buen profesional; por ello creí oportuno ponerme en contacto con el señor López, el consejero cultural de la embajada de España en mi país. Desgraciadamente, no ha podido orientarme correctamente. Ésta es la razón por la que le escribo; tal vez usted pueda facilitarme la información necesaria para solicitar una beca de estudios para el próximo curso.

Quisiera decirle que mi experiencia en España fue muy positiva. Allí, además de aprender cultura y arte, también hice muchas amistades. Visité museos, como el de El Prado, en Madrid, o el Guggenheim, en Bilbao. Me fascinó el contraste de culturas, la mágica creatividad de la arquitectura en lugares como Barcelona, Segovia, El Escorial, Toledo, Granada… No puedo olvidar estas ciudades con sus gentes y sus costumbres. Recuerdo cuando salíamos a tomar *tapas* por los *mesones* y por las cafeterías, y también recuerdo que todo estaba abierto **hasta las tantas de la madrugada**.

Soy un chico de veinticuatro años que está deseando estudiar y aprender. Como usted puede apreciar por lo que le cuento en esta carta, tengo un espíritu abierto y flexible para conocer otras culturas y situaciones; además, soy muy aventurero y soñador, pero no crea que no **tengo los pies sobre la tierra**. Soy realista.

Sé que es muy difícil conseguir lo que deseo, pero quisiera ser optimista y pensar que… ¡alguien podrá **echarme una mano** desde España! ¡Ojalá lea mi carta y me responda!

Hasta que llegue ese momento, me despido de usted. Reciba un cordial saludo de

Mathew Salomon

## Una nueva oportunidad

La lluvia caía sin parar en la ciudad de Seattle y Mat observaba cómo las gotas, casi transparentes, se acumulaban formando charcos. Pensó que las letras, las palabras y las frases eran como esas gotas de agua que se juntaban y se convertían en ríos; tomaban forma material… y después iban al mar, porque todas unidas tenían muchísima fuerza.

Comparó su carta con la lluvia y se dijo:

—Tengo que ser realista y aceptar que no he tenido éxito. ¿Adónde han llegado mis palabras? ¿A quién he comunicado mis sueños?

¿Dónde está la respuesta? Ni yo mismo la tengo; tal vez es mejor que me olvide de este proyecto.

Estaba tan desilusionado que ya iba a eliminar el mensaje del fichero cuando…, de pronto, ¡apareció un mensaje en la pantalla!:

> *Estimado señor:*
>
> *En respuesta a su petición para disfrutar de una beca de estudios en España, le comunicamos que le ha sido concedida. Por ello, le agradeceríamos que se pusiera en contacto con nosotros lo antes posible.*
>
> *Un cordial saludo,*
>
> *Universidad de…*

El chico no podía dar crédito a lo que leía. En cuanto leyó el mensaje, salió rápidamente a la calle. Como un loco saltaba sobre los charcos, mientras decía en voz alta a todos los que pasaban por su lado:

—¡Lo he conseguido! ¡Ahora sí que creo en los imposibles! Sé que todos nuestros sueños pueden convertirse en realidad. Sólo hay que **tener el coraje de** perseguirlos.

A partir de este momento su vida iba a cambiar. Era un día caluroso del mes de agosto cuando el avión aterrizó en el aeropuerto de Madrid. Mat cogió su equipaje y se desplazó hasta la residencia de estudiantes, en la Ciudad Universitaria.

## Caras nuevas

Conocía bien la ciudad y se sintió seguro, pero cuando llegó a la residencia se encontró con gente que nunca había visto. **Todas eran caras nuevas.** Un chico alto, con barba pelirroja y pelo ondulado, se acercó hasta donde él estaba y le dijo:

—¡Hola! Yo a ti no te he visto antes. Eres nuevo, ¿no?

—Sí, acabo de llegar. Mi nombre es Mat y vengo del estado de Washington, en Estados Unidos. Y tú…, ¿de dónde eres?

—Soy Robert Kerry. Soy de … bueno, quiero decirte que me alegro de conocerte, porque aquí **me aburro como una ostra.** La gente sólo habla en español.

—¡Anda, claro!, ¡como que estamos en España! —dijo Mat, con tono de sorpresa.

—¡Venga, amigo! No seas tan melancólico, que aquí no vas a tener tiempo para aburrirte.

Rob se dio cuenta de que aquel chico no tenía ni idea de dónde había ido a parar. Pensó que podría ser una buena idea airearle un poco por esas tierras tan distintas de España; entonces le preguntó con decisión:

—¡Eh, amigo! ¿Quieres ser mi compañero de aventuras?

## COMPRENSIÓN Y VOCABULARIO

**Leed en grupos y preguntad por el significado de una palabra o expresión.**

**a.** ¿Podrías explicarme estas expresiones?
 — *Tener los pies sobre la tierra.*
 — *Hasta las tantas de la madrugada.*
 — *Me aburro como una ostra.*
 — *Todas eran caras nuevas.*
 — *Tener coraje.*
 — *Echar una mano.*

**b.** ¿Has usado alguna vez la expresión *espíritu abierto y flexible*? ¿Qué quiere decir?

**c.** ¿Cuáles son los contrarios de:
 *Desilusionado, melancólico, pelo ondulado, aventurero* y *soñador...*?

**d.** ¿Qué palabras podemos usar como sinónimos de:
 *Anteriormente, los imposibles, impartir, reanudar...*?

# GRAMÁTICA

## 1. Relacionad cada tiempo con sus usos.
## ¿Dónde aparecen en los textos?

| Pretéritos | |
|---|---|
| Indefinido | Expresa acciones terminadas sin continuación en el presente.<br>Se usa con:<br>*Ayer, anoche, el año pasado, hace meses, el otro día...* |
| Imperfecto | Informa sobre momentos del pasado como la infancia, la universidad, antes... |
| Perfecto | Expresa acciones terminadas que aún continúan.<br>Se usa con:<br>*Hoy, esta mañana, tarde, semana, hace un minuto, horas...* |

# CULTURA

### ¿Qué sabéis sobre...?

Investigad en libros de cultura, arte, historia y comentad en clase:

— Contraste de culturas.
— La mágica creatividad de la arquitectura.
— Barcelona, Segovia, El Escorial, Toledo, Granada...

# ANÁLISIS DE LA ESTRUCTURA

| Introducción La carta | Paso 1 | Paso 2 |
|---|---|---|
| | ¿Por qué quiere ir Mat a España? | ¿Cómo escribirías una carta para solicitar una beca? |
| | ¿Qué recuerdos guarda de su viaje? | ¿Crees que el estilo con el que escribe la carta es formal o informal? |
| | ¿Qué nuevos proyectos tiene? | |
| **Desarrollo** | ¿Con qué compara a las palabras? | ¿Qué siente Mat cuando recibe una respuesta?: pesimismo/optimismo/sorpresa. |
| | La lluvia va al mar. Su mensaje, ¿ha sido productivo?, ¿por qué? | ¿Cuándo has saltado alguna vez sobre los charcos? |
| **Cierre** | ¿Qué significado tiene *caras nuevas*? | ¿Cómo es Mat? |
| | Describe una cara nueva. | ¿Cómo es Robert? |

# DEBATE

**¿Creéis en estas palabras? ¿Por qué? ¿Tienen fuerza comunicativa?**

*«Sé que todos nuestros sueños pueden convertirse en realidad. Sólo hay que tener el coraje de perseguirlos.»*

# II. Retratos

Las aventuras de Mat y Rob comenzaron en el mismo momento en que ambos se conocieron. Nosotras estamos escribiéndolas después de que sucedieran. Seguro que os preguntáis quiénes somos. Bueno, ya lo iréis descubriendo a lo largo de los capítulos que hemos creado para vosotros.

## Jimena

Me llamo Jimena Anaya Santos y soy la novia de Mateo Salomon. Mat tiene algo especial. Él **es** lo que se dice **un correcaminos**. Por esta cualidad tan especial fue precisamente por la que nos conocimos. Descubriréis por cuántas ciudades españolas viajó, en cuántos caminos, pueblos y ciudades estuvo; y que en uno de esos viajes, pues… ¡llegó a mi ciudad! Lo más curioso es que se ha quedado a vivir aquí.

Nos dedicamos a los negocios de la hostelería. Tenemos un hotel que parece la torre de Babel. A mí me encanta el contraste de culturas. Antes, sólo conocía mi país, España. Actualmente viajo tanto que me puedo considerar muy cosmopolita e internacional. He conocido gentes de todas las nacionalidades y culturas, por lo que mi personalidad es ahora más flexible que antes.

Mat es un hombre que físicamente está muy bien. Es atractivo, tiene un carácter muy dulce y, al mismo tiempo, es fuerte. ¿Sabéis que siempre consigue lo que se propone? Y… cuando **las cosas no le salen bien**, pues… ¡**va a por** otra cosa! No **se come el coco** por nada, ni por nadie. Bueno… eso no es del todo cierto, ya que cuando me conoció no hacía más que **darle vueltas a la cabeza** para enamorarme. La verdad es que **le di calabazas** unas cuantas veces; por esto mismo, me decía que **me pasaba de borde**.

La primera vez que le vi fue en la catedral de Burgos. Me atrajo su mirada que, aunque es de un intenso color azul, es tan cálida como la que tienen los ojos negros. Su cara es redonda y morena y contrasta con su pelo rubio, muy corto. Cuando le conocí me pareció un chico **guaperas** que sólo trataba de conseguir un **ligue** para el fin de semana. Pero afortunadamente descubrí que había algo más detrás de su aspecto físico. ¿Sabéis qué me dijo la primera vez que me vio? Os lo cuento, aunque me avergüenzo de sus palabras. Estoy segura de que os parecerán expresiones cursis y anticuadas:

—*¡Qué piel más fina tienes! Tu cara parece de porcelana y es tan hermosa como la de esas esculturas de la catedral. Tus ojos brillan como un rayo de luz y… eres eterna.*

¡**Qué pasada**! Bueno, no quiero desvelaros toda la historia. Tendréis que llegar al capítulo X para saber más. Os dejo con…

## Beatriz

¡Hola! Yo soy Beatriz Manrique Sanz y soy segoviana. Mucha gente **se queda con la boca abierta** cuando descubren que Rob y yo somos pareja y que nos llevamos bien. **¡Desde luego** que el secreto no os lo voy a contar!

Sí os diré que, cuando le vi, me quedé completamente ensimismada. Me dije a mí misma:

—¡Qué tío tan estupendo! ¡Está como un tren!

**A primera vista**, me llamó la atención su cuerpo, porque es muy alto y yo soy bajita. Él mide 1,80 m y yo, 1,60 m. Así que ya os podéis imaginar qué pareja hacemos. Nuestros amigos nos dicen que **parecemos el punto y la i**.

Robert no puede pasar desapercibido porque por donde va **llama la atención**. Su pelo es rizado y tiene un intenso color cobrizo que le da mucha personalidad. Su barba, que es pelirroja, **le da un aire** fantástico como de pirata, leñador o guerrero legendario. **¡Estoy coladísima** por él! Se nota, ¿verdad?

Los dos venimos de culturas completamente diferentes. Aunque he viajado y he estudiado fuera de casa, siempre he convivido con mi familia. Sin embargo, Rob dejó su hogar siendo muy joven. Un día, cuando tenía dieciocho años, se fue con sus amigos a otro estado, y allí comenzó a trabajar y a estudiar.

Descubriréis que nuestro romance fue **visto y no visto**. Os contaré por qué. Aquella tarde, cuando salí de casa, no esperaba que ocurriera nada especial; bueno, iba a conocer a dos chicos extranjeros y nada más. Pero **surgió el flechazo** entre Rob y yo. Nos enamoramos nada más vernos, pero tuvimos que separarnos enseguida. Por favor, no leáis ahora el capítulo V, donde se cuenta de un modo muy romántico la primera vez que nos vimos. Me describió de la siguiente manera:

—*Parecías una diosa milenaria, con tu melena negra rizada y tus piernas largas y morenas, y con tus ojos tan expresivos que parecía que hablasen.*

¿Qué os parece?

Para terminar, os diré que Mat y Rob eran muy diferentes, pero grandes amigos. Aunque sus caracteres chocaban, se complementaban muy bien. Las cosas nuevas que uno no entendía, el otro las explicaba, y las extravagancias de Rob **traían** a Mat **por la calle de la amargura**. Muchas veces, Robert **se hacía el tonto**, porque tenía un sentido del humor muy especial, que desconcertaba.

# COMPRENSIÓN Y VOCABULARIO

## Leed en grupos y preguntad por el significado de una palabra o expresión:

**a.** ¿Podrías explicar estas expresiones?

1. *Ir a por otra cosa*, 2. *comerse el coco*, 3. *una pasada*, 4. *quedarse con la boca abierta*, 5. *dar calabazas*, 6. *traer por la calle de la amargura*, 7. *hacerse el tonto*, 8. *parecer el punto y la i*, 9. *lo que se dice*, 10. *pasarse de borde*, 11. *estar coladísimo/a por*, 12. *visto y no visto*, 13. *ser un correcaminos*, 14. *ser un guaperas*, 15. *darle vueltas a la cabeza*, 16. *un ligue*, 17. *no salir las cosas bien*, 18. *surgir el flechazo*, 19. *darse un aire a*, 20. *a primera vista*, 21. *llamar la atención*.

**b.** ¿Has usado alguna vez las palabras *ensimismarse, correcaminos, sentido del humor, cursi?*
¿Qué quieren decir?

**c.** ¿Cuáles son los contrarios de *extravagancia, convivir?*

**d.** ¿Qué palabras podemos usar como sinónimos de *cobrizo, amargura, repentinamente, pareja?*

# GRAMÁTICA

## 1. Buscad en el texto los ejemplos con: *ser/estar/parecer.*

| Ser: | |
|---|---|
| Parecer: | |
| Estar: | |

## 2. Los retratos.

Hacer un retrato es describir tanto los rasgos físicos como los de carácter.

En grupos, completad el siguiente cuadro con la información que os dan los personajes:

| PERSONAJE | APARIENCIA EXTERNA | | CARÁCTER |
|---|---|---|---|
| | RASGOS FÍSICOS | MODO DE VESTIR | |
| A | | | |
| B | | | |

## CULTURA

**Comentad estos contrastes culturales:**

*Los dos venimos de culturas completamente diferentes. Aunque he viajado y he estudiado fuera de casa, siempre he convivido con mi familia. Sin embargo, Rob dejó su hogar siendo muy joven.*

## ANÁLISIS DE LA ESTRUCTURA

| Introducción | Paso 1 | Paso 2 |
|---|---|---|
| | ¿Por qué escriben una historia? ¿En qué se basan? | ¿Has escrito alguna vez un cuento, una viñeta, una novela? Si tuvieras que hacerlo, ¿qué personajes elegirías? |
| **Desarrollo** | ¿Qué rasgos físicos son peculiares de Mat? ¿Qué rasgos de carácter son propios de Robert? | Describe los rasgos físicos y psicológicos de un personaje. ¿Qué contrastes culturales encuentras entre las dos chicas y sus novios? |
| **Cierre** | ¿Por qué los dos chicos son diferentes? ¿Se complementan sus caracteres? | ¿Qué piensas que es mejor, los contrastes o la igualdad de caracteres? |

## DEBATE

**¿Qué opináis sobre las expresiones que utilizan los protagonistas para declarar y describir sus sentimientos?**

— ¿Os parecen expresiones cursis y anticuadas? ¿Por qué?
— ¿Son poéticas y románticas?

# III. Aventureros

## En la noche

¡Qué chicos tan aventureros! Van a coger el tren de media noche, que va hacia el sur de España.

Y es que Mathew y Robert habían leído, durante el curso de literatura, las aventuras de los pícaros del Siglo de Oro. Igual que el Lazarillo de Tormes, el Buscón o Don Quijote, ellos también quisieron viajar hacia la libertad.

—**Estoy impaciente** —dijo Rob— **por ver con mis propios ojos** las mezquitas, los alcázares y las plazas. Quiero conocer a todos los personajes famosos, como los árabes y los cristianos. Tengo que descubrir a los pícaros, mendigos, hidalgos y escuderos; a las damas aristocráticas y a sus galanes. ¡Esto **es la leche**!

—Rob, ¡**no te pases**! —dijo Mat, asombrado—. Yo **alucino** contigo. ¡**Qué más quisieras** tú que retroceder cuatro siglos! **Sabes de sobra** que la historia evoluciona y que esos personajes ya han dejado de existir. Ahora hay otros y… ¡vamos a descubrirlos!

El tren se detuvo en una estación. Miraron por la ventanilla y no vieron ni siquiera una luz que les indicara un destino. Precisamente por esta razón, Mat eligió ese lugar para comenzar la aventura:

—¡Vamos a bajar ya mismo! ¡Date prisa, coge tus cosas! ¡Vamos!

—Pero, ¿qué ciudad es ésta? —preguntó Rob con incertidumbre.

—¡Qué más te da! Podría ser Sevilla, Granada, Córdoba o Jaén. ¡Baja del tren!

Sólo oyeron el sonido del silbato del tren, que se alejaba hacia los campos infinitos. Cuando desapareció del todo, les quedó el silencio de la noche. Rob nunca había sentido tanta angustia y miedo por lo desconocido:

—Si nos hubiéramos informado sobre esta ciudad, ahora sabríamos dónde estamos. ¡Ojalá lo hubiéramos hecho! Si hubiéramos consultado un mapa, si no nos hubiéramos precipitado, ahora no estaríamos tan perdidos en medio del campo. ¡Ojalá hubiéramos…!

—¡Tranquilízate, hombre! —le interrumpió Mat—. Ahora nosotros somos los aventureros. Aquella gente del pasado no **llevaba** nada más que **lo puesto** y, por necesidad, eran valientes; nosotros, al menos, vamos forrados hasta los dientes. Mira, llevamos hasta un teléfono móvil.

Mat miró fijamente a la cara de Rob y continuó hablándole:

—Te voy a dar un consejo basado en algo que escribió Cervantes, y es lo siguiente: No olvides que la libertad, Rob, es uno de los más preciados dones que a los hombres dieron los cielos.

—Lo que tú digas…, pero yo tiemblo de miedo sólo al pensar que…

En la noche, el silencio quedó roto por el sonido de un motor.

El vehículo era viejo y destartalado. Cuando se paró en medio de la carretera, las luces amarillentas de los faros iluminaron el espacio. Vieron al camionero, un hombre mayor, en mangas de camisa. Les preguntó, con un tremendo vozarrón:

—¿Habéis tenido un accidente?

—No, ¡qué va! —dijo Mat—. Sólo queremos saber dónde estamos.

—Habéis llegado a la ciudad de Écija, provincia de Sevilla. Yo voy a Granada y si no os importa viajar en camión, os puedo llevar hasta allí —dijo el camionero—. Decidid rápido, que tengo prisa.

—Quizás te parezca **malpensado** —le comentó Rob a Mat—, pero yo no me fiaría **ni un pelo** de este tipo.

Mat hizo un gesto a su amigo. Se apartaron del camión y, **entre dientes**, le dijo:

—¡**Me tienes frito** con tus sospechas y temores! ¡Anda, sube y aprovecha la oportunidad! Yo te digo que es buena gente. Por una vez, hazme caso y disfruta de la aventura.

## Al amanecer

Despertaron en medio de un camino. Recordaban algo sobre una fiesta en un lugar llamado *cortijo* y vieron una botella de vino con la etiqueta rota, en la que se leía "Vino Tío Pepe". Sus mochilas habían desaparecido y Rob exclamó, con rabia:

—¡**Maldita sea**! Si no hubiéramos subido a ese trasto viejo, ahora no estaríamos como estamos.

—Ahora, ¿qué? ¡Ésta es nuestra primera aventura! —dijo, molesto, Mat.

—¡No me fastidies! Eres un irresponsable. ¿No ves que no tenemos ni un euro? Estoy deseando tomar un buen desayuno. ¿Sabes qué? Pues que tengo hambre.

Los muros y columnas de una antigua fortaleza o palacio amurallado aparecieron en el camino. Se acercaron.

—¡Mira! —dijo Rob—. Fíjate en aquellos arcos: parecen de encaje y allí, en el centro, hay una fuente con esculturas de leones.

—Esto es arte mudéjar —dijo Mat, sorprendido—. Me parece que podríamos estar en la Alhambra de Granada. Éste es el Patio de los Leones. ¡Ojalá aparezcan las bailarinas y las princesas!

—Yo, si hubiera vivido aquí —dijo Rob—, habría puesto en el jardín, junto a esas palmeras, unas hamacas para tomar el sol. Y, en vez de fuentes, hubiera puesto una piscina. A esta hora de la mañana, hubiera mandado preparar un buen desayuno... No es por nada, pero aquí hay gente. ¡Huele a café!

## El desayuno

Rob no se equivocaba porque, entre los arcos, apareció una chica de pelo moreno y rizado, que les miraba con los ojos muy abiertos y brillantes desde detrás de una columna. Con cierto descaro, se acercó a ellos y, con una voz nítida y graciosa, les dijo:

—He escuchado todo lo que habéis dicho. Si hubiera aparecido una princesa, ¿os hubierais atrevido a hablar con ella?

—¡Uau! —exclamó Rob—. ¡Qué mujer tan misteriosa! ¿Cómo te llamas?

—¡Vamos!, no te pongas nervioso, que no soy la hija del sultán. Soy la guía turística. ¿Qué hacéis vosotros aquí, a estas horas?

—Nosotros —contestó Mat— vamos a la aventura.

—¿Os apetece tomar un desayuno andaluz? ¡Os invito!

## COMPRENSIÓN Y VOCABULARIO

**Trabajad en grupos y buscad las expresiones que aparecen en negrita en el texto.**

**Si las sustituís por su equivalente, ¿expresan lo mismo?**

*Esto es la leche.*
Es algo sorprendente.

*Estoy impaciente.*
Tengo mucha prisa.

*No te pases.*
No seas exagerado.

*¡Qué más quisieras tú!*
No es fácil que lo consigas.

*Ser un malpensado.*
Creer que todo es malo.

*¡Maldita sea!*
Expresa irritación por algo.

*¡Me tienes frito!*
Ya me has cansado.

*Ver con los propios ojos.*
Convencerse por uno mismo.

*Llevar lo puesto.*
No tener nada más.

*Saber de sobra.*
Estar seguro de algo.

*Alucinar.*
Sentirse asombrado.

*Ni un pelo.*
Nada.

# GRAMÁTICA

1. **¿Recordáis la construcción del pretérito pluscuamperfecto de subjuntivo?**

   **Imperfecto de subjuntivo    +    participio perfecto**
   **del verbo haber**

2. **Buscad en el texto los ejemplos para completar el siguiente cuadro** (hay participios irregulares):

| Si hubiera/hubiese | participio | participio | participio |
|---|---|---|---|
| | -ar | -er | -ir |
| | | | |

3. **Imaginad que...**
   **Para ello, transformad las siguientes oraciones según el modelo dado.**

   1. Los pícaros no han existido.              *¡Ojalá hubieran existido!*
   2. El tren no se ha detenido.                ............................................
   3. Se han quedado dormidos.                  ............................................
   4. Han ido a la aventura.                    ............................................
   5. Ellos no se han informado.                ............................................
   6. No hemos consultado un mapa.              ............................................
   7. El camionero les preguntó que adónde iban. ............................................
   8. Esta aventura ha sido como un sueño.      ............................................

23

**4. Recordad la construcción del condicional compuesto. Completad el siguiente cuadro con ejemplos del texto:**

| habría | -ar | -er | -ir |
|---|---|---|---|
|  |  |  |  |

**5. Leed las siguientes oraciones y señalad qué condiciones son reales o irreales, presentes o pasadas:**

1. *Si tengo dinero voy de excursión/iré de excursión.*
2. *Si ha llegado estará en la casa.*
3. *Si tuviera tiempo iría a Sevilla.*
4. *Si hubiera sido pícaro no estaría sin desayunar.*

## ANÁLISIS DE LA ESTRUCTURA

**Poned un título a cada uno de los apartados de la estructura. En grupos de dos, podéis contestar a las siguientes preguntas:**

| Introducción | Paso 1 | Paso 2 |
|---|---|---|
|  | ¿Qué planes tienen los dos amigos?<br><br>¿A qué personajes quieren imitar? | ¿Conoces algo sobre la literatura del Siglo de Oro en España? |
| **Desarrollo** | Habla sobre Rob y Mat:<br><br>¿Por qué son distintos?<br><br>¿Quién es más realista? | ¿Qué hechos reales se producen en la Alhambra de Granada?<br><br>¿Qué hubiera hecho Mat allí?<br><br>¿Qué situaciones hubieras imaginado tú? |
| **Cierre** | ¿Cómo es la chica que aparece?<br><br>¿Es realmente una princesa, o es un personaje real? | ¿Cómo terminarías la historia?<br><br>Desenlace trágico/cómico/tragicómico. |

# DEBATE

## Comentad las siguientes expresiones:

— *La historia evoluciona y esos personajes ya han dejado de existir. Ahora hay otros, y... ¡vamos a descubrirlos!*

— *La libertad es uno de los más preciados dones que a los hombres dieron los cielos.*

(Miguel de Cervantes)

# IV. Los patios

## Comida y conversación

Lola, así llamaba todo el mundo a la guía turística de la Alhambra.
Mientras desayunaban con ella, les hablaba sin parar:

—Me llamo Dolores, pero todos me llaman Lola. Habéis tenido
mucha suerte.

—¿Sí?, y eso, ¿por qué? —preguntó Rob.

—Pues porque estamos preparando una recepción. Hoy llegan a la
Alhambra don Juan Carlos y doña Sofía. Sabéis quiénes son, ¿verdad?

Rob la miró con curiosidad. Se quedó callado un momento, mientras pensaba, y por fin le dijo:

—Pues no caigo. En mi vida había oído esos nombres.

—No seas tan ignorante. Son los reyes de España —exclamó Mat entre dientes.

—Exactamente, son los reyes de España y... ¡van a venir hoy, aquí! Es la primera vez que les voy a ver **en persona**. Vienen con el presidente de...

A Lola no le dio tiempo a terminar de hablar. Mat estaba tan expectante por lo que pudiera ocurrir, que comenzó a hacerle una pregunta tras otra:

—¿Qué vais a hacer con tantas personalidades?

—Les vamos a ofrecer un almuerzo típico de la región —contestó Lola—. Llegarán a las doce y pronunciarán un discurso. Después de la bienvenida, comeremos. Si os quedáis aquí, también estáis invitados.

En una fuente de cristal había gran cantidad de fruta: granadas, piñas, peras, higos, ciruelas, naranjas y limones. Entre las cestas se veían las sandías rojas, partidas por la mitad, los melones dorados. Había todo tipo de alimentos propios de la zona: jamón serrano, pescado frito y ahumado, aceitunas verdes y negras...

—¡Qué bien huele! —dijo Mat, mientras lo miraba todo—. ¿Qué es ese olor tan refrescante, Lola?

—Son las hierbas y las especias: la albahaca, el comino, el cilantro, el azafrán, la hierbabuena y la canela.

—¿Por qué empiezan tantas palabras por *-al* o *-a*? —volvió a preguntar Mat con curiosidad.

—¡Qué curioso eres! Me tienes frita con tanta preguntita. Para que lo sepas, te diré que todas esas palabras son de origen árabe.

—Sí, por ejemplo —dijo Rob—, *alcachofa, albaricoque, almendra*... Entonces, esta comida, ¿es típica de Andalucía?

—Ya veo que tú eres como tu amigo, ¡qué pesados! Por favor, ¡dejad ya de hacerme tantas preguntas! No soy vuestra profesora. Bueno, os diré lo que sé. Muchos de estos alimentos los introdujeron los árabes. Por ejemplo, trajeron de la India y de China el arroz, la caña de azúcar y las berenjenas. De Egipto importaron el melón; de África, la sandía y de Constantinopla, el higo.

# El almuerzo real

Por entre los cestos de frutas apareció una señora de mediana edad que vestía con gran elegancia. Se acercó a ellos, y les dijo:

—¡Hola, chicos! Quiero deciros que **no tenéis obligación** de vestiros de un modo formal; pero, si queréis formar parte del almuerzo, deberéis cambiaros de ropa. Lo siento, pero éstas son las normas del protocolo.

**No tuvieron otra opción** y pidieron a unos camareros que les prestaran sus uniformes: pantalón negro, camisa blanca y corbata roja. Cuando todo estuvo listo en el Patio de los Leones, llegaron los monarcas y comenzó el almuerzo. Ellos no podían dar crédito a lo que veían y Mat dijo, sorprendido:

—Estoy realmente **fascinado**. Jamás **en mi vida** había visto a unos reyes así, **cara a cara**.

Rob estaba incómodo con sus ropas de camarero porque eran muy formales y tenía demasiado calor con la corbata y los zapatos de cordones. Por ello, se fijó en cómo vestían los reyes y en todo lo que hacían:

—A mí **me admira que** sean unos monarcas y que, al mismo tiempo, tengan tanta sencillez. ¡Fíjate cómo van vestidos!, ¡hablan con todo el mundo y son expresivos!

—Sí, visten muy normalmente. No como nosotros —dijo Mat, con fastidio—. Después del discurso han tenido una palabra para todos.

—¡Mira!, la reina habla ahora con Lola. ¿Qué le estará contando? Me gustaría acercarme a doña Sofía —dijo Rob—, y decirle: ¡**Me cae muy bien**, señora!

—No es muy conveniente esa expresión. Sería mejor decirle: «Su majestad, quisiera **mostrarle mis simpatías**» —aclaró Mat.

Rob pensó que nunca olvidaría cuando la reina le confundió con uno de los camareros.

De pronto, le llamó y él se acercó con timidez a su mesa; entonces le dijo:

—Por favor, ¿podría traerme una bandeja con croquetas de gambas y pescadito? ¡Ah, y unos boquerones! ¡Muchas gracias!

A él se le olvidó cómo había que tratar a una reina. Lo primero que **se le vino a la cabeza** fue hacer una pequeña reverencia, besar su mano y decirle:

—¡Uau! Señora, ¡**no me lo puedo creer**! ¿Sabe usted que nunca había visto a una reina tan de cerca? Ahora mismo le traigo las croquetas con las gambas.

**En una fracción de segundo** vino un camarero de los de verdad, y atendió a la reina siguiendo el protocolo. La verdad es que doña Sofía estaba encantada con la naturalidad y el encanto de aquel camarero llamado Rob.


## El patio de Lola

Al atardecer todo terminó y volvieron a la normalidad. Los reyes eran reales, Lola era la guía turística de la Alhambra,… y ellos seguían siendo dos aventureros. ¡Las cosas no les habían salido tan mal!

Cuando comenzaba a anochecer, se fueron con Lola a pasar el fin de semana a su pueblo. Ella, mientras conducía, les iba adelantando muchas de las cosas que verían al llegar a su destino:

—Soy de Puente Genil, un pueblo de la provincia de Córdoba. Es un pueblo grande, alegre y con mucha luz. Vivo en una casa muy señorial, con un patio blanco como la nieve, como el azúcar, como el algodón. ¡No os lo vais a creer, pero de lo blanco que es, se quita el calor! No os asustéis, pero por la tarde, a eso de las tres, llegaremos a tener 40 grados de temperatura a la sombra.

—¿Y qué hacéis para combatir un calor tan abrasador? —preguntó Mat, con curiosidad.

—En medio del patio hay una palmera con macetas y mecedoras, donde **tomamos el fresco** a la hora de la siesta. También hay una fuente en la que nos refrescamos de vez en cuando.

—El patio de tu casa, ¿tiene nombre? —preguntó Mat, intrigado.

—Pues…¡no!, ¿por qué?

—Porque si existe el Patio de los Leones… —dijo Rob—. Al tuyo le podemos llamar el patio de la Dolores.

—No, por favor, será mejor que lo llaméis el patio de la Lola.

Entonces la chica comenzó a cantar:

—Mat, *no me llames Dolores, llámame Lola,*
   *que este nombre en tus labios*
   *sabe a amapola, sabe a amapola.*

# COMPRENSIÓN Y VOCABULARIO

**¿Qué personajes dicen estas expresiones? ¿En qué contexto se desarrollan?**

**Leed el texto y relacionad cada expresión con su significado:**

1. *¡No me lo puedo creer!*
2. *¡Me cae muy bien!*
3. *Cara a cara.*
4. *En una fracción de segundo.*
5. *Estar fascinado.*
6. *Me admira que...*
7. *Mostrar simpatía.*
8. *No tener otra opción.*
9. *No tener la obligación de...*
10. *Venir a la cabeza.*
11. *Ver en persona.*
12. *Tomar el fresco.*
13. *En mi vida.*
14. *Abrasador.*
15. *Encanto.*

a. Poder hacer sólo una cosa.
b. Nunca antes.
c. Sentirse maravillado.
d. Ocurrírsele a uno una idea.
e. En presencia real.
f. Ser libre de elegir.
g. Me parece irreal.
h. Aliviarse del calor.
i. Me resulta muy simpático/a.
j. Contemplar a una persona realmente.
k. Inmediatamente.
l. Me siento asombrado.
m. Expresar afecto.
n. Mucho calor.
ñ. Ser especial.

# GRAMÁTICA

**Es muy improbable que te encuentres con unos reyes. Contrasta las situaciones probables e improbables. Entrevistad a vuestro compañero(a).**

— Si saludas a una persona desconocida, ¿cómo lo haces?
— Recuerda las fórmulas de saludo formal e informal.
— Si saludaras a unos reyes, ¿crees que es correcto cómo lo han hecho Mat y Rob?
— ¿Cómo lo harías tú?

# CULTURA

**Investigad sobre:**

— La monarquía en Europa. ¿A qué reyes y reinas conoces?
— La democracia y la monarquía en España.

# ANÁLISIS DE LA ESTRUCTURA

**Poned un título a cada uno de los apartados de la estructura. En grupos de dos podéis formular y contestar a las siguientes preguntas:**

| Introducción | Paso 1 | Paso 2 |
|---|---|---|
| | ¿A qué se dedica Lola? | ¿Conoces todos esos alimentos? |
| | ¿Qué tipo de comida están preparando? | Sustitúyelos por los que hay en tu lugar de origen o por los que hay en la ciudad donde vives. |
| **Desarrollo** | ¿Cómo visten los chicos y por qué tienen que cambiarse de ropa? | ¿Crees que es probable que la situación que viven los dos chicos ocurra en la realidad? |
| | ¿Por qué confunde la reina a Rob? | Si es fantástica, explica por qué. |
| **Cierre** | ¿Qué es un patio? Describe el patio de Lola. | ¿Conoces una ciudad como la de Lola? |
| | ¿Cómo son el clima y la vegetación en esa ciudad? | ¿Te gustaría visitarla? ¿Adónde irías? |

# DEBATE

**Las palabras y sus orígenes.**
**En grupos, podéis hacer estas preguntas buscando la información en el mismo texto:**

¿Podrías explicarme esta expresión?   *¡No me lo puedo creer!*

¿Has usado alguna vez la palabra *majestad*?

¿Qué quiere decir?

¿Cuál es el contrario de *mediana edad*?

¿Qué palabras podemos usar como sinónimos de: *fracción de segundo, al momento, inmediatamente*?

# V.  Andando el camino

## La vida como un camino

Después de varias semanas de viaje ya habían recorrido ciudades como Sevilla, Granada, Córdoba y Jaén. Conocían casi toda Andalucía. Habían visto paisajes que eran completamente opuestos entre sí, por la diversidad climática de la región. En solo un día vieron frondosos pinares y encinares, y estepas polvorientas. Las dunas de arena daban paso a las montañas majestuosas.

Ya se alejaban de esas tierras y atravesaban el puerto de Despeñaperros. La furgoneta que llevaban no estaba en muy buenas condiciones —el motor se calentaba **cada dos por tres**—. Así que se detuvieron en un recodo del camino para decidir por dónde continuaban su viaje. Mat hizo algunas sugerencias:

—La verdad es que no tengo muy claro si ir a la costa del Mediterráneo o a la del Cantábrico. Tal vez sea más interesante ir hacia las montañas del norte, o bien recorrer la llanura castellana.

En un camino perdido encontraron una fuente. Entonces, Rob tiró una moneda al aire y dijo:

—¡Si sale cara, vamos a la costa y si sale cruz, nos adentramos en la meseta!

Como la moneda cayó al agua, el problema se quedó sin solución. Pero en una enorme piedra vieron una inscripción:

*Caminante, no hay camino, se hace camino al andar.*

Y debajo figuraba la firma de un poeta, Antonio Machado.

—Ya veo que la moneda no nos ha sacado de dudas —dijo Rob, disgustado—. A lo mejor esta inscripción labrada en la piedra es un mensaje para los viajeros perdidos, como nosotros.

—¡Venga, listillo! Saca tus propias conclusiones del verso. Léelo otra vez, si tienes ganas —dijo Mat, enfadado—. Yo, ahora, paso de temas literarios.

—¿Acaso estás cabreado? Yo sé qué camino tomar, pero me siento como un bicho raro porque, a veces, las cosas más claras suelen confundir. ¿Por qué dice ese poeta que no hay camino? —preguntó, extrañado, Rob.

—Lo que quiere decirnos —respondió Mat, con **cara de perro**— es que para continuar el viaje hay que tener un buen coche, mirar el mapa y comenzar de nuevo a hacer kilómetros. La noche se nos echa encima.

—No creo que tengas mucha sensibilidad poética, porque eres frío y demasiado racional. Desde mi punto de vista —replicó Rob—, la vida es como un camino y hay que hacerlo cada día.

—¿Cómo? —preguntó Mat.

—Pues viviendo. Hoy compartimos el mismo camino; mañana… no se sabe. Esta noche la pasaremos en un camping, o bien en un hotel. Imagino que cenaremos gazpacho fresco, tortilla de patatas con pimientos y…

—¡Ni lo sueñes! La furgoneta se ha averiado —dijo Mat, mientras daba una patada al vehículo—. Fíjate cómo sale humo del motor. ¡**No vale un pimiento**! ¡Nos quedamos aquí! ¡No hay más **remedio**! Me temo que esta noche vamos a dormir **a pierna suelta**, pero en el campo. Ahora sí que tenemos que andar el camino, pero a pie.

—¡Anda, no seas **aguafiestas**! —dijo Rob cuando supo que tenían que dejar el vehículo.

—Al menos, habla correctamente, porque aquí no hay ni agua ni fiesta, ¿sabes? Es precisamente todo lo contrario. Esto es un infierno. Estamos a cuarenta y cinco grados de temperatura —replicó Mat, angustiado—. Además, había tenido la fantástica idea de ir a la ciudad de Segovia. Ahora no sé si podremos…

Los campos estaban amarillentos y silenciosos. El sol iba bajando lentamente por las montañas encrespadas y, mientras, ellos caminaban y hablaban:

—Tengo la boca completamente seca y ya **no me tengo en pie**. Estoy realmente agotado —dijo Rob—. En mi mochila hay demasiado peso. Cogí todo lo necesario para hacer un largo viaje.

—Vamos a ver… ¿qué tienes? Tal vez tengas que deshacerte de tu desodorante, de la tienda y de tus cámaras…

—¡Ni lo sueñes, chico! —respondió Rob, indignado por la mala idea de su amigo.

## La decisión

Poco después de anochecer, el reflejo metálico de un coche les deslumbró. Mat gritó, sobresaltado:

—¡Me parece que nos acaba de **tocar la lotería**! ¡Esta noche tendremos cena! ¡Páralo! ¡Para ese coche, Rob!

El coche se detuvo y de él salieron dos chicas; una era alta y muy delgada, pero su cara tenía una expresión seria. La otra, que era muy joven, parecía divertida y simpática. Se acercaron a ellos y les saludaron:

—¡Buenas noches, muchachos! ¡Qué mal aspecto tenéis! ¿Habéis tenido una avería?

—Pues sí. Se nota, ¿verdad? —contestó Rob, con fastidio.

—Ya ha anochecido y parecéis agotados… ¡y sedientos! Si queréis, os acercaremos a algún lugar —dijo la chica más joven, con gran desparpajo.

Los dos chicos se dieron cuenta de que aquélla era su gran oportunidad y siguieron el juego que marcaban las muchachas.

—¿Hacia dónde os dirigís? —preguntó Mat.

—Nosotras vamos a Cataluña. Somos de allí. Vivimos en una *masía*, en medio del campo. Os imagináis, ¿no? Allí **estamos de miedo**. Vivimos rodeadas de naturaleza, árboles y viñedos.

—Sí, claro, pero... ¿tienen algo de beber, señoritas? —preguntó Rob, con impaciencia—. Es que tengo una sed que me muero.

Las chicas se echaron a reír porque les hizo gracia que les llamaran señoritas. Sacaron del maletero del coche unas cajas con envases de cristal verde y con etiquetas doradas, que brillaban con la luz de los faros.

—Mirad, lo. único que tenemos son botellas de cava, pero están tan calientes que no se las bebería ni el más sediento. Así, sienta fatal.

—No importa —dijo Rob, mientras bebía con ansia—. ¿Qué hacéis en este lugar que da miedo?

—Nos dedicamos al cultivo de la vid. Tenemos un **sinfín** de viñedos. Recolectamos las uvas y después hacemos cava. Si queréis ir, os llevamos; además, podéis comenzar a trabajar en la recolección de la vid. ¡Os pagaremos muy bien! Y allí beberéis cava fresco.

—Lo siento, guapas —dijo Mat—. No podemos, porque nosotros nos dirigimos hacia Segovia. Pero es muy probable que vayamos a la recolección de la uva en octubre. ¿Dónde podremos encontraros?

—¡Ah!, sí, ¡qué tonta! —gritó la más joven—. Tenéis que ir hasta Gerona, en la costa del Mediterráneo. Es la región del Ampurdán. Allí preguntáis por las bodegas de *La Codornera*. Nosotras somos las propietarias y empresarias del negocio.

—**No se hable más**. ¡Trato hecho! —gritaron los chicos.

Cada uno siguió su camino. Ellos cogieron de nuevo un tren.

Rob se sentía orgulloso de la aventura de ese día. Le dijo a Mat:

—¿Has visto cómo hemos hecho el camino? Primero, hemos dejado atrás la furgoneta con nuestras cosas, que ya nunca podremos recuperar. Después, hemos decidido por nosotros mismos el lugar adonde queremos ir, a pesar de la invitación y la tentativa de...

—No me lo recuerdes, que me da algo. Hemos sido estúpidos dejando marchar a unas chicas como ésas —dijo Mat—. Eran, además de guapas, ricas. ¡Qué lástima no haber seguido el viaje con ellas!

—No mires atrás, lo hecho, hecho está. ¡Debemos continuar nuestra aventura! —concluyó Rob, con decisión.

# COMPRENSIÓN Y VOCABULARIO

## Relacionad cada expresión con su significado:

| | | | |
|---|---|---|---|
| 1. | *Tocarle a uno la lotería.* | a. | Una gran variedad. |
| 2. | *No vale un pimiento.* | b. | Tiene poco valor. |
| 3. | *No me tengo en pie.* | c. | Estoy muy cansado. |
| 4. | *Sinfín.* | d. | Tener mucha suerte en algo. |
| 5. | *No se hable más de ello.* | e. | Está decidido. |
| 6. | *A pierna suelta.* | f. | Gesto antipático. |
| 7. | *Aguafiestas.* | g. | Aburrido, pesimista. |
| 8. | *Cara de perro.* | h. | Tener muy buen aspecto. |
| 9. | *Cada dos por tres.* | i. | Muy frecuentemente. |
| 10. | *Estar de miedo.* | j. | Profundamente. |

# GRAMÁTICA

## 1. El pretérito imperfecto.

En grupos de dos, podéis recrear la historia por vosotros mismos. Para ello, seguid estas indicaciones sobre el imperfecto:

| | |
|---|---|
| **Descripción de personas** | |
| **Estados de ánimo** | |
| **Estado de salud** | |
| **Cosas** | |
| **Tiempo cronológico** | |
| **Tiempo meteorológico** | |
| **Imperfecto de causa con** *porque* | *No han ido a Gerona porque...* |
| **Imperfecto interrumpido** | *Estaban caminando cuando de repente...* |

## 2. Presente de subjuntivo/indicativo.

Leed de nuevo la historia. Con los elementos dados al principio de cada frase, responded a estas preguntas:

1. ¿Dónde quieren ir los personajes?
   *Quizás vayan a* .................................................

2. ¿Qué van a hacer?
   *Es posible que* .................................................

3. ¿Por qué dice el poeta que no hay camino?
   *Puede que* .................................................

4. ¿Dónde pasarán la noche?
   *Es previsible que* .................................................

5. ¿Por qué Rob no se tiene en pie?
   *Tal vez* .................................................

6. ¿Por qué paran el coche las dos chicas?
   *Probablemente* .................................................

## CULTURA

— ¿Qué es el cava?
— ¿Qué diferencias tiene con el champagne?
— ¿Qué bebidas gaseosas hay en tu país?
— ¿Cuándo bebéis cava?

## DEBATE

**Leed en grupos el siguiente poema del poeta español Antonio Machado.**
**Preguntad por el significado de una palabra o expresión:**

> Caminante, son tus huellas
> el camino, y nada más;
> caminante, no hay camino,
> se hace camino al andar.

Al andar se hace camino,
y al volver la vista atrás
se ve la senda que nunca
se ha de volver a pisar.

Caminante, no hay camino,
sino estelas en la mar.

**a.** ¿Podrías explicarme la expresión *volver la vista atrás?*

**b.** ¿Has usado alguna vez estas palabras: *estelas, nada, huellas, pisar*?
¿Qué quieren decir?

**c.** ¿Cuál es el contrario de *nada más?*

**d.** ¿Qué palabras podemos usar como sinónimos de *caminante, camino, andar, senda, estela*?

**e.** ¿Qué frase sirve para definir el camino en el mar?

**f.** ¿Cómo ve el pasado, el futuro y el presente este poeta?

## ANÁLISIS DE LA ESTRUCTURA

**Poned un título a cada uno de los apartados de la estructura. En grupos de dos, podéis haceros las siguientes preguntas:**

| Introducción | Paso 1 | Paso 2 |
|---|---|---|
| | ¿Qué es lo que Mat no tiene claro? | ¿Qué conclusiones sacas de la inscripción del camino? |
| | ¿Por qué tiran una moneda al aire? | ¿Por qué llama listillo Mat a Rob? |
| **Desarrollo** | ¿Por qué van a tener que dormir a pierna suelta? | ¿Estás de acuerdo con Mat cuando dice que la vida es como un camino? |
| **Cierre** | Rob no se tiene en pie. | Describe a las dos chicas. |
| | ¿Hay algún acontecimiento que les hace cambiar su destino? | ¿Es divertida o interesante su profesión? ¿Cómo son las mujeres de negocios en tu país? |

# VI. Una ciudad romana: Segovia

## Regreso al pasado

Los dos caminantes estaban preparados para comenzar una nueva aventura en Segovia.

—¡Despierta! —dijo Mat—. No seas tan perezoso, que ya son las dos de la tarde. ¡Venga, no duermas más, que llegaremos tarde a la cita!

Rob abrió los ojos y lo primero que vio desde la ventana de la pensión fue una gran estructura de piedra. Unas sobre otras, formaban un colosal monumento que cruzaba la larga plaza, de punta a punta.

—¡Oye! —gritó Rob a Mat—. ¿Dónde estamos?, ¿de dónde ha salido este puente que se ve desde la ventana?

—No es un puente —dijo Mat—, es un acueducto. Sirve para transportar agua a la ciudad.

—No me **tomes el pelo**. ¡No me digas que aquí no hay agua corriente! —dijo Rob, riéndose a carcajadas.

—¡Venga, chico! **Es evidente** que no estamos en la edad de piedra. Este acueducto es un monumento histórico. Es patrimonio de la humanidad, porque los romanos lo construyeron cuando conquistaron la meseta de la península Ibérica. Esto sucedió allá por el siglo II antes de Cristo.

—¿Estás seguro? —preguntó Rob—. No me puedo creer que todavía **se tenga en pie**. Si es así, ésta es una ciudad antiquísima, que ha sido testigo del paso de muchas civilizaciones. Espero que, aunque estemos en una ciudad de piedra, nos podamos divertir **a tope**.

—¡Pues sí! —contestó Mat—. Ya verás, cuando salgamos a la calle y aparezcan los…

Mat quiso gastarle una broma fantástica a su amigo y comenzó a dejar volar a su imaginación:

—Imagina que…, bueno, ¿has visto alguna vez un gladiador?

—¡Quizá!… ¡Ah!, ¡sí!, en las películas de romanos.

Mat comenzó a dar vueltas por la habitación y con gestos exagerados dijo:

—Pues no te extrañe que aparezcan aquí, en el *foro o plaza,* los gladiadores. Seguramente irán camino del *circo,* donde les esperan los leones. Posiblemente veas también a los cómicos y a las bailarinas; es casi seguro que vayan al *anfiteatro*, a representar una tragicomedia.

—¿Y qué más? —gritó Rob—. Tío, ¿piensas que soy idiota? **¡Anda ya!**

Mat continuaba con su historia:

—¡Ah!, espero que hayas cambiado los euros por denarios de plata, para tomar un almuerzo en la taberna. Tal vez me invites a una copa por todo lo que te he contado.

—¡No seas ridículo! —dijo Rob, riendo a carcajadas—. ¡Ojalá sea verdad lo que has descrito! Probablemente aparezca Venus, la diosa del amor, en medio del acueducto. Tal vez me sonría la suerte y me enamore.

Cuando salieron a la calle, la realidad era distinta. Vieron un grupo de turistas japoneses que se hacían fotos junto al acueducto. En un rincón de la calle, dos chicas estaban esperándoles. La voz de una de ellas sonó con tanta fuerza que parecía que las piedras del gran monumento fueran a moverse:

—¡Eh, Mat!, ¿**dónde te has metido**? ¡Vamos! ¡Date prisa, que no llegamos al almuerzo en el mesón!

## Venus es el amor

La expresión de Rob cambió cuando miró a la otra chica, la que estaba tan callada… Era como si jamás hubiera hablado. Su rostro sosegado le inspiró confianza. Se dijo a sí mismo:

—No creo que haya visto en mi vida a una chica tan especial como ésta. Pero… ¡no, no le diré nada todavía! Tengo que esperar a que estemos a solas.

—¿Qué te pasa, Rob? —dijo Mat—. Pareces ensimismado.

—Sí, es cierto, así es. Para mí, esta ciudad, sus gentes, sus costumbres… son desconocidas; parece como si todo fuera un mundo inventado. Y es que aquí la gente se divierte de otro modo. Ahora estamos en el mesón tomando vinos y hablando sin parar. Si quieres que te sea sincero, me gusta esa chica que no habla. Pero no sé qué decirle.

—Pues sé natural con ella y dile lo que piensas. Ahora te la presento, ¡ya verás qué fácil es! ¡Hola, Beatriz! Rob quiere hablar contigo un rato.

Entonces Rob le cogió de la mano y le dio dos besos en la cara. Sin pensárselo dos veces, le dijo algo que, en otras circunstancias, le hubiera avergonzado:

—¿**No nos hemos visto antes**? Tal vez hayamos esperado mil años para poder encontrarnos en este mágico lugar.

Desde ese momento, Beatriz y Rob no pararon de hablar. Estuvieron juntos hasta las tantas de la madrugada, en **no sé cuántos** lugares. Aunque el tiempo no pasaba para ellos, al amanecer Rob tenía que coger el tren para visitar otra ciudad. Cuando se iban a despedir, dijo:

—Jamás pensé encontrar a una chica como tú. ¡Ojalá tenga la oportunidad de volverte a ver! Se me ocurre algo: Si te digo que vengas a Toledo con Mat y conmigo, ¿qué harías?

—¡Ojalá pudiera ir! Mira, quién sabe… ¡A lo mejor **voy y me apunto** a vuestra aventura!

En la estación el tren ya estaba a punto de partir y Rob pensaba:

—Es muy probable que ella no venga. Todo **ha ocurrido como en un sueño.**

Sin embargo, Beatriz estaba allí. Los dos amigos la vieron y Rob dijo en voz alta lo que pensaba:

—¡Mírala! Parece una diosa milenaria, con su melena negra rizada, con sus piernas delgadas y morenas y con esos ojos tan expresivos, que parece que hablen. Quiere decirme algo… y no sé qué es.

El tren salió de la estación y sólo pudo ver cómo ella, desde el andén, levantaba los brazos y le enseñaba su teléfono móvil.

En los cristales de la ventanilla se quedó grabada para Rob la expresión de la boca de Beatriz, que le decía:

—¡Adiós, Rob!

Mientras el tren dejaba atrás la ciudad de piedra, Rob pensó:

—A lo mejor ella es Venus, la diosa romana; pero… ¡no!, es **de carne y hueso.** Ella es tan real como la vida misma. ¡Qué mala pata, no tengo su número de teléfono!

## COMPRENSIÓN Y VOCABULARIO

**Relacionad las expresiones con su significado.**
**¿Podrías explicarme esta expresión?**

1. *Tomar el pelo.*
2. *Ser evidente que…*
3. *No tenerse en pie.*
4. *A tope.*
5. *¡Anda ya!*
6. *¿Dónde te has metido?*
7. *¿No nos hemos visto antes?*
8. *No sé cuántos/as.*
9. *Voy y me apunto.*
10. *Ha ocurrido como en un sueño.*
11. *De carne y hueso.*

a. No sabía dónde estabas.
b. Absolutamente, completamente.
c. Me resultas conocido/a.
d. Una gran cantidad.
e. Burlarse.
f. De verdad.
g. No me creo lo que me dices.
h. Estar muy claro, no caber duda.
i. Ha parecido irreal.
j. Estar muy cansado/a.
k. Me decido a hacer algo.

# GRAMÁTICA

## 1. El presente de subjuntivo.
Poned subjuntivo o indicativo cuando aparezcan las expresiones *quizás / tal vez / probablemente / ojalá / a lo mejor / quizá.*

a. *Posiblemente* ................. (ver) *aparecer a los cómicos.*
b. *Ojalá* .................. (ser) *verdad lo que dices.*
c. *Tal vez* .................. (haber) *esperado mil años para poder encontrarnos.*
d. *Es muy probable que ella no* .................. (venir).
e. *¡Quizá* .................. (tener) *la oportunidad de volver a verte!*
f. *A lo mejor ella* .................. (ser) *Venus.*

## 2. Utilizad el presente de subjuntivo. Haced una entrevista a vuestros/as compañeros/as.

| ¿Te gusta el acueducto de Segovia? | —Sí, me gusta mucho.<br>—Me alegro de que te guste.<br>—Siento que no lo conozcas. |
|---|---|
| 1. ¿**Has visto** alguna vez un gladiador? | —Lo dudo. |
| 2. ¿Las bailarinas y los cómicos **van** al anfiteatro? | —No lo creo. |
| 3. ¿**Cambió** el chico los euros por denarios? | —Se lo pidió / te lo pido. |
| 4. La pareja, ¿**esperó** mil años para encontrarse? | —Dudo que… |
| 5. Aquí siempre **ocurren** cosas fantásticas. | —Espero que… |

## 3. Utilizad el presente de subjuntivo en negativo con valor de imperativo.

1. **Duerme** mucho.     *No duermas tanto.*
2. **Dime** que aquí hay agua corriente. ....................
3. **Créete** lo que te digo. ....................
4. **Vamos** a tomar el almuerzo. ....................
5. **Ven** conmigo a Toledo. ....................
6. **Eres** un incrédulo. ....................
7. **Habla** con Rob un rato. ....................

**8.** Rob tiene que **coger** el tren al amanecer. .................................................

**9.** **Levantó** los brazos para decir adiós. ..................................................

**10.** **Dieron** vueltas por la ciudad. ..................................................

## CULTURA

**¿Qué conocéis de la civilización romana?**
**En el texto encontraréis términos referentes a monumentos o lugares propios del arte romano.**
**Comentad en clase:** acueducto, agua corriente, anfiteatro, antiquísimo/a, centenario/a, circo, colosal, ensimismado/a, foro, gladiador, milenario/a, taberna, denario, tragicomedia.
**Podéis ver y comentar el vídeo *El gladiador*.**

## ANÁLISIS DE LA ESTRUCTURA

**Poned un título a cada uno de los apartados de la estructura. En grupos de dos, podéis haceros las siguientes preguntas:**

| Introducción | Paso 1 | Paso 2 |
|---|---|---|
| | ¿Qué ve Rob? ¿Cómo lo describe? ¿Qué orígenes históricos tiene Segovia? | ¿Por qué piensa Rob que le toman el pelo? ¿Por qué dice que están en la edad de piedra? |
| **Desarrollo** | ¿Qué es lo que nunca verán en la ciudad? ¿Por qué es ridículo Mat? ¿Cómo describe Rob la ciudad? | ¿Por qué está ensimismado Robert? ¿Cómo es la chica? ¿Con quién compara a Beatriz? |
| **Cierre** | Describe la escena de la estación. ¿Te gusta esta despedida? | ¿Cómo terminarías la historia? Desenlace trágico/cómico/tragicómico. |

# DEBATE

**¿Cómo se divierte la gente hoy en día?**
**La ciudad antigua/la ciudad moderna. En grupos podéis hacer una guía del ocio del pasado y del presente.**

    **a.**    ¿Podríais señalar qué lugares de la ciudad eran para la diversión en la época clásica?

    **b.**    ¿Qué lugares hay hoy en día para divertirse en la ciudad hispana?

# VII.  La espada de Toledo

## En la ciudad

Cuando los dos chicos vieron esta nueva ciudad, se quedaron asombrados. Les llamó la atención la cantidad de edificios que se apiñaban formando círculos. A la ciudad de Toledo la rodeaba, como un cinturón brillante y verde, el río Tajo. Rob sacó de su mochila el mapa de la ciudad y trató de buscar el centro de la población; mientras tanto, Mat observaba con detenimiento una postal y la comparaba con la realidad:

—Mira, Toledo es exactamente igual que en este cuadro. Este pintor, que se llamaba El Greco, captó mágicamente el color natural de los edificios. Parece que no hubieran pasado tantos siglos, porque el amanecer y sus colores son idénticos a los de hoy.

—No seas ignorante —le dijo Rob—. Esas cosas como el amanecer nunca cambian de color. Para que te enteres: cambian las personas, los modos de vida y la forma de las ciudades.

La nueva aventura comenzó con la obstinación de Rob por encontrar una espada antigua. Ellos iban a conocer a una chica llamada Judith Toledano, que había vivido siempre en Toledo y trabajaba en el negocio familiar. Sus abuelos había tenido una joyería en el barrio de *la judería*. En este barrio, situado en el centro de la ciudad, hay gran cantidad de negocios. Ahora se dedicaban a vender todas esas cosas antiguas que gustan tanto a los turistas: armaduras, escudos repujados, cascos y espadas de acero, con incrustaciones laboriosamente trabajadas.

Vamos a descubrir cómo **sus pasos les llevaron** hasta esa tienda y cómo se pasaron el tiempo observando todo lo que les rodeaba:

—Oye, Rob —dijo Mat a su amigo—, perdona que te lo diga, pero ya **estoy harto de** dar vueltas y más vueltas por esta ciudad. ¿Hasta cuándo vamos a seguir caminando **como dos locos**? Ya está bien, ¿no? ¡Qué mala idea tienes!

—¡Vamos, Mat! —contestó Rob—. No seas tan intolerante con mis caprichos. Tú haz lo que quieras; pero yo, hasta que no compre la espada, no me voy de Toledo.

—Quiero **dejar bien claro que** el tren sale a las ocho. Te lo digo para que lo sepas y te des prisa —contestó Mat, malhumorado—. Ya hemos visto por lo menos cien espadas, ¿vale?

Mientras discutían, pasaron cinco veces por las murallas de piedra, subieron y bajaron calles con cuestas muy empinadas.

—¿Todas las ciudades medievales son así? —preguntó Rob, irónicamente—. Te sugiero que, hasta que encontremos la tienda apropiada, sigamos caminando por estas calles tan empedradas y misteriosas. ¡Mira!, son tan estrechas que las casas parecen estar pegadas unas a otras. ¿Hasta dónde nos llevarán?

## En la tienda

Por fin, en una callejuela del barrio de la judería, encontraron una tienda. Junto a la puerta estaba haciendo publicidad una réplica exacta del famoso hidalgo que inmortalizó Cervantes. Don Quijote de la Mancha estaba allí quieto, brillante y silencioso.

—¡Mira! —gritó Rob—. Parece que está preparado para iniciar una batalla. Sujeta en sus manos la espada y la lanza de puro acero. ¡Yo quiero esa espada! Éste es el lugar. Sabía que, al final, encontraría algo interesante.

—¡No me fastidies! —gritó Mat—. ¡Qué buen *marketing* hacen aquí! Es una buena idea llamar la atención del cliente con un caballero andante. Es real. ¡Vamos a entrar en la tienda!

Con sus gritos armaron tanto jaleo que Judith salió del establecimiento, sobresaltada. Les miró con sus ojos grandes y oscuros, como dos azabaches. Cuando les vio, se echó a reír. Le parecieron dos tipos fascinantes.

—¡Hola! Yo soy Judith y trabajo en la tienda. Por favor, ¿podrían decirme **qué mosca les ha picado**? ¿Acaso no han visto nunca a un caballero andante? ¿De dónde vienen ustedes?

Mat miró hacia todas partes, pero no vio ninguna mosca y comprendió la expresión. Avergonzado, se calló. Por fin se lanzó a hacerle algunas preguntas:

—Por favor, ¿tiene espadas auténticas, de ésas del siglo xv?

—Sí, ¡cómo no! —respondió la chica—. En esta tienda ofrecemos los mejores productos **artesanales**. La mayoría de ellos son auténticos. Pasen y vean por sí mismos lo que tenemos.

Rob estaba lleno de curiosidad por explorar el lugar, que parecía una cueva encantada, y quiso hacerse amigo de la chica. Aquélla era su gran oportunidad:

—Judith, ¿le importa que le tutee?

—No, claro.

—¿Te molesta si **echo un vistazo** en el sótano?

Una vez allí, Rob sintió el olor a antiguo, a madera barnizada y perfumada; aunque todo estaba lleno de cosas, era fácil localizarlas porque estaban en su lugar, correctamente ordenadas. Las armaduras metálicas brillaban… Aquel espacio infundía respeto y admiración.

—Oye, Judith, este lugar es admirable —dijo Rob—. ¡Nunca había visto una cosa igual!

—Espero, Rob, que **tan pronto como** encuentres lo que buscas nos vayamos, ¿vale? ¿Piensas que terminarás antes de las ocho? —preguntó Mat, impaciente.

—**Por supuesto** —contestó Rob.

Pero no fue así, porque las horas pasaban y continuaba **en lo suyo**. Por este motivo, Mat invitó a Judith a salir:

—Como puedes ver, mi amigo es muy aficionado a las antigüedades. Es obsesivo y estoy seguro de que no nos iremos hasta que cierren la puerta y **le echen a patadas**. Así que, en vista de lo que me espera, he pensado que tal vez sería mejor que nos fuésemos a tomar algo tú y yo.

—Oye, **por mí, encantada**.

A Mat la ciudad le pareció mágica mientras caminaba con Judith. Ahora no le cansaban las cuestas ni se sentía perdido. Las calles tenían un nombre y una historia. Ella le hacía imaginar y soñar mientras le hablaba:

—Mira, ésta es la sinagoga de Santa María la Blanca, que se transformó en iglesia cristiana en el siglo xv, cuando cien mil judíos abandonaron España. Te cuento esto porque mi familia fue protagonista de este capítulo de la historia. ¿Quieres ver la sinagoga?

—Con todo mi respeto, tu historia me recuerda a una novela de Noah Gordon: *El Último Judío*. ¿La has leído?


## La armadura

Judith y Mat entraron en el templo.

—Todas las sinagogas están situadas hacia oriente, hacia Jerusalén, la ciudad santa —explicaba un guía a los turistas.

—Bueno, y si nos vamos a bailar a una de esas discotecas que hay en la plaza… —sugirió Mat.

—Es una idea fantástica. Hay que divertirse de cuando en cuando; si no, la vida es **de lo más** aburrida.

Volvieron a la tienda, **ya pasadas** las ocho. Llamaron a Rob, pero no aparecía por ningún sitio.

—¡Eh, Rob!, ¿dónde te has metido? —gritó Mat, preocupado.

En la oscuridad del sótano, una figura metálica se movió.

La pareja, asustada, se echó las manos a la cabeza.

Mat, desesperado, gritó:

—¡Espero que no le haya pasado nada a mi amigo! ¡Ojalá hayamos llegado a tiempo! Está más loco que una cabra; bueno, más que **el mismísimo** Quijote.

—No es posible que haya hecho esto —dijo Judith—. ¡Se ha puesto la armadura de don Quijote! ¡Ojalá hayamos llegado a tiempo!

Rob no reaccionaba, tenía la cara amoratada. Le quitaron la armadura y por fin dijo:

—Lo siento, pero yo no pensaba que fuera tan peligroso. Fue Don Quijote quien me dejó prestada su armadura. El hombre de la publicidad tenía una cita y me dijo que le sustituyera por unas horas. Yo accedí. Y vosotros, ¿dónde estabais?

Judith y Mat comenzaron a reírse y le dijeron:

—Nosotros también andábamos buscando una espada. Tú… ¿qué piensas?

## COMPRENSIÓN Y VOCABULARIO

**Buscad en el texto el siguiente vocabulario y relacionadlo con su significado:**

1. *Sus pasos les llevaron.*
2. *Ya estoy harto/a.*
3. *Como locos.*
4. *Dejar bien claro.*
5. *¿Qué mosca te ha picado?*
6. *Artesanal.*
7. *Echar un vistazo.*
8. *Tan pronto como.*
9. *Por supuesto.*
10. *Por mí, encantado/a.*
11. *En lo suyo.*
12. *Echar a patadas.*
13. *Sé lo más…*
14. *Ya pasadas.*
15. *El mismísimo.*

a. Afirmar algo enérgicamente.
b. No tengo inconveniente.
c. Inmediatamente después de…
d. Hecho a mano, no industrial.
e. Expulsar enérgicamente.
f. Después de una cierta hora.
g. Andando, llegaron a…
h. Muy.
i. Mirar algo por encima.
j. El auténtico.
k. Intensamente, sin cesar.
l. Dedicado/a a sus asuntos.
m. No lo soporto más.
n. Naturalmente, sin duda.
ñ. ¿Qué te pasa ahora?

# GRAMÁTICA

**1. Mirad el texto y completad las oraciones con alguna de estas conjunciones + subjuntivo:**

*antes de que / aunque / cuando / después de que / hasta que / mientras que / para que / tan pronto como / sin que.*

    **1.** Quiero que quede bien claro que ...................... den las ocho saldrá el tren.

    **2.** Te lo digo ...................... lo sepas y te des prisa.

    **3.** Te sugiero que ...................... encontremos la tienda sigamos caminado por estas calles.

    **4.** Es obsesivo y estoy seguro de que no nos iremos ...................... cierren la puerta y le echen.

    **5.** ...................... encuentre lo que busco, nos vamos. ¿Vale, Mat?

    **6.** Aunque mire y no hable no os preocupéis por mí. Yo, ...................... den las ocho, habré terminado.

**2. En grupos, podéis crear oraciones utilizando el subjuntivo o el indicativo.**
**Recordad que con subjuntivo se expresa una acción futura o hipotética.**

    **1.** *Tan pronto como* ..........................................................................
    **2.** *Cuando* ..........................................................................
    **3.** *Mientras* ..........................................................................
    **4.** *Aunque* ..........................................................................
    **5.** *Hasta que no* ..........................................................................
    **6.** *Después de que* ..........................................................................
    **7.** *Antes de que* ..........................................................................

# CULTURA

## Vocabulario cultural:

*Sinagoga:*
*Muralla:*

*Ciudad Santa:*
*Barrio de la judería:*
*Judío sefardí:*

## ANÁLISIS DE LA ESTRUCTURA

**Poned un título a cada uno de los apartados de la estructura. En grupos de dos, podéis haceros las siguientes preguntas:**

| Introducción | Paso 1 | Paso 2 |
|---|---|---|
| | ¿Qué sabes de la familia de Judith? | ¿Te gustan los objetos antiguos? |
| | ¿Qué orígenes históricos tiene Toledo? | ¿Qué compras cuando visitas una ciudad antigua? |
| **Desarrollo** | ¿Por qué discuten los dos amigos? | ¿Qué monumentos históricos hay en Toledo? |
| | ¿Por qué están las casas muy juntas? | Cuenta su historia. |
| **Cierre** | Describe la escena de la tienda. | ¿Cómo terminarías la historia? |
| | | Desenlace trágico/cómico/tragicómico. |

## DEBATE

**Buscad imágenes de ciudades y comentad cuáles de sus aspectos son variables o invariables.**

# VIII.  Fiestas

El amor ha llegado a la vida de Rob y no sabe cómo ponerse en contacto con la chica de la que se ha enamorado. Los dos amigos discuten sobre los cambios que se han producido en su relación por este acontecimiento que les ha pillado de sorpresa. Las diferencias culturales entre ellos y las gentes que han conocido se van a salvar gracias a los deseos que tienen de integrarse y conocer nuevas formas de vida en España.

## Reproches

—¡Ojalá **estuvieras en lo que tienes que estar**! —le dijo Mat a su amigo.

Rob, que no se esperaba una bronca como ésa, le contestó:

—¡Qué cosas dices! ¿No sabes que desde que estuve en Segovia y conocí a Beatriz estoy locamente enamorado? He conocido a muchas chicas, pero esta vez **me ha dado muy fuerte**.

—Sí, pero con ese comportamiento tan inmaduro e infantil no podemos **contar contigo** para nada. Me pregunto —dijo Mat— por qué no pones soluciones al problema, en vez de repetir siempre lo mismo.

Mat, con voz aburrida, comenzó a enumerar las quejas de su amigo:

—¡Qué desilusión! ¡Qué mala pata! **Para una vez que me enamoro**, y no me ha hecho ni caso. No fui lo suficientemente atractivo para ella. Tal vez fue porque mi español no era muy bueno. Probablemente, porque mi personalidad no sea la típica del hombre latino.

—¡Joé! —exclamó Mat— ¡**Ya está bien de** quejarte! Chico, actúa, haz algo. No seas tan tímido. No tengas tanto miedo al fracaso.

—¡**Deja ya de darme instrucciones**! —dijo Rob—. Tú tampoco haces nada para ayudarme. Conoces mejor esta cultura y, sin embargo, no me das buenos consejos. ¡Ah!, y si me los das, no son los apropiados. Siempre me **hablas como si fueras un disco rayado** y me repites sin parar: *no te preocupes, ya sabes que el que la sigue, la consigue y si no, el tiempo todo lo cura...*

## Acción

En Madrid hacía un calor insoportable y los programas de televisión eran de lo más aburridos. En el teletexto aparecieron los programas de fiestas del verano, junto a las actividades culturales de la Comunidad de Madrid. Rob reaccionó cuando vio anunciadas las fiestas de Segovia:

—¡Allí vive Bea! —se dijo—. Me voy a poner en acción. ¡Vámonos a Segovia! Son las fiestas de San Juan y San Pedro. Mira, ¡qué programa de fiestas tan variado **ha montado** el ayuntamiento! Podremos disfrutar de **un montón** de actividades.

—Sí, es una buena idea, pero no llegaremos a Segovia hasta media tarde —contestó Mat.

—¡Pues me lo pones mejor todavía! El programa de la tarde-noche es más interesante. Presta atención, escucha lo que dice:

Hoy, día 23 de junio, se celebran los siguientes acontecimientos:

**19,00 horas:** Gran corrida de toros, en la que lidiarán tres reses los valientes toreros Jesulín de Ubrique, Julián López «El Juli» y «El Califa». Todos ellos, acompañados de sus correspondientes cuadrillas de picadores y banderilleros.

**20,30 horas:** En la Plaza Mayor, concierto a cargo de la banda de música de Algete.

**00,00 horas:** En las inmediaciones del recinto ferial se celebrará la tradicional **hoguera de San Juan**.

## El baile

En el recinto ferial se oía la música que estaba tocando la banda. Todos bailaban: niños y niñas, los mayores y los jóvenes. Rob sacó a bailar a una chica rubia de ojos muy verdes, que parecía estar muy aburrida. No levantaba los ojos del suelo, hasta que Rob comenzó a hablarle:

—¡Hola! Me llamo Rob, ¿quieres bailar conmigo?

La chica levantó la vista. Miró a Rob y le sonrió maliciosamente.

—Me llamo Marta y… ¡claro que quiero bailar contigo! Pero si nos ve mi novio… se va a enfadar.

—¡Ah! Entonces, si tienes novio… ¿no puedes bailar con otro chico? —preguntó Rob, extrañado.

—No, no es eso. Estaba bromeando. **Lo que pasa es que** él es músico. ¡Mira a tu izquierda!, ¿ves? Mi novio es el del bigote. Toca el trombón.

Mientras bailaban, Marta preguntó a Rob:

—Oye, ¿de dónde eres? Tienes un acento extranjero muy divertido. En vez de Marta, me llamas *Marza*. ¿Vas a saltar la hoguera de San Juan?

—¿Qué es eso? —preguntó Rob, extrañado.

—**Pues si no lo sabes**, espera y verás. ¡Sorpresa!

Cuando la música terminó, el novio de Marta les invitó a tomar unas *cañas*. Esperaban ilusionados a que fuera la una de la mañana, porque a esa hora empezaba la hoguera de San Juan.

—¿Adónde va la gente con tantos muebles viejos? —preguntó Rob.

—Los llevan a la hoguera, para que sirvan de leña —dijo Marta.

# El gran salto

—Pero… ¿qué hace esta gente? —dijo Rob—. **¡Están locos como una cabra!** ¡Qué costumbres tan raras!

—Están saltando la hoguera. ¡Fijaros qué llamas tan altas! Por lo menos miden diez metros. Los bomberos, con sus mangueras, están vigilando a ambos lados del fuego, por lo que pudiera pasar —explicó el músico.

—Antes de saltar, dejan un papel en el fuego, ¿por qué? —preguntó Rob.

—Nosotros consideramos que ésta es una noche mágica —comentó el novio de Marta—, puesto que comienza el verano. Decimos adiós al pasado y nos preparamos para el futuro. Por eso escribimos en dos trozos de papel cinco deseos realizables y cinco irrealizables. Guardamos una lista hasta el próximo año y tiramos la otra a la hoguera.

—¿Se cumplen los deseos? —preguntó, ingenuamente, Rob.

—**Hazlo y**… ¡ya verás! —contesto Marta, toda convencida—. Yo tengo una buena prueba. El año pasado estaba muy *depre* y me decidí a saltar la hoguera, con mis amigas. Pedí tener un novio músico… y ya ves… ¡Aquí lo tengo!

Rob se decidió a escribir su lista de deseos:

— Si pudiera ver a Beatriz, entonces sería feliz.
— Si tuviera la oportunidad de conocer mi país, la llevaría a…
— Si fuera…

Mientras esperaba su turno para dar el gran salto, Rob notó el calor de las llamas muy cerca de su rostro. Sintió miedo y se arrepintió. Pensó que aquélla era una costumbre ancestral y estúpida. ¡Él no creía en esas cosas!, y sin embargo… ¡iba a saltar! Decidió que se iba a retirar, pero un muchacho que esperaba su turno le dijo:

—Oye, chico, ¡venga!, atrévete y salta. Lánzate, que es muy emocionante. ¡Oye, que tengas mucha suerte!

Mientras sobrevolaba las altas llamas con su lista entre los dientes, se le oyó gritar.

# COMPRENSIÓN Y VOCABULARIO

**Buscad en el texto las siguientes expresiones y completadlas según el contexto de la historia:**

- *Ojalá estuvieras...*
- *Me ha dado...*
- *No podemos contar...*
- *Para una vez que...*
- *Deja ya de...*
- *¡Ya está bien de...!*

- *Hablas como...*
- *El que la sigue...*
- *Lo que pasa es...*
- *Pues si no lo sabes...*
- *¡Están locos como...!*
- *Hazlo y...*

# GRAMÁTICA

1. **Pretérito imperfecto de subjuntivo.**
   Se forma a partir de la tercera persona del plural del pretérito in-definido.
   **Completad el siguiente cuadro con los verbos en imperfecto de subjuntivo. Buscad sus indefinidos y transformadlos.**

   | -ar | -er | -ir |
   |---|---|---|
   | *cantaron* *cantara/se* | *temiera/se* | *partiera/se* |

2. **Pretérito imperfecto de subjuntivo: verbos regulares/irregulares.**

   **Completad con:** *dijera/se, hiciera/se, viniera/se, durmiera/se, fuera/se, supiera/se, leyera/se, creyera/se.*

   1. Le pedí que .................................................
   2. Me aconsejó que ..........................................
   3. No pensé que ...............................................
   4. Le pidió que le ............................................
   5. Me dijeron que me .......................................
   6. No creí que .................................................

**3. Condicionales irreales y oraciones para expresar deseos.**
**Seguid este esquema y escribid una lista con deseos realiza-**
**bles/irrealizables.**

| *si* | imperfecto de subjuntivo | condicional simple |
|------|--------------------------|--------------------|
| *Si* | *tuviera dinero* | *iría a España* |
|  |  |  |

## CULTURA

**En grupos podéis hacer un programa de fiestas, de un concierto o**
**de un festival.**

## ANÁLISIS DE LA ESTRUCTURA

**Poned un título a cada uno de los apartados de la estructura. En**
**grupos de dos, podéis haceros las siguientes preguntas:**

| Introducción | ¿Qué son los reproches? |
|--------------|-------------------------|
|  | ¿Qué aspectos culturales ves en el texto? |
|  | ¿Cómo cambia el estado de ánimo de Rob? |
| **Desarrollo** | Comenta el programa de fiestas. |
|  | ¿Qué significado tiene la Noche de San Juan? |
| **Cierre** | ¿Crees que Mat y Rob se integran en las costumbres que descubren? |
|  | Señala por qué. |

## DEBATE

**Comentad en clase las siguientes expresiones:**

— *El que la sigue la consigue.*
— *El tiempo todo lo cura.*

**Comparad las fiestas y costumbres populares de vuestra ciudad con las de otras culturas que conozcáis.**

# IX. Cuatro escenas

En estas cuatro secuencias los personajes comienzan la búsqueda de Beatriz por Segovia. Primero van a rondarla con los estudiantes de la tuna; después preguntan por ella y, al final… bueno, ¿lo descubrís vosotros mismos?

## En los callejones

Caminaron por callejones, como el de San Sebastián, desde donde se divisaban las murallas de la ciudad medieval. De pronto apareció la torre de la fortaleza y llegaron a unas estrechas callejuelas que confluían en una gran avenida, llena de cafés y restaurantes. Allí se reunieron con los chicos de la facultad de medicina que tocaban en la tuna. A Rob se le ocurrió la descabellada idea de rondar por la noche la calle de Bea. La tuna iba a cantar bajo su balcón.

Mat estaba avergonzado por la decisión de su amigo y le dijo:

—Yo respeto tus decisiones. Sabes que **te apoyo** porque soy tu amigo de aventuras, pero haz el favor de reaccionar. Estás desconocido. ¿No ves que es ridículo rondar a una chica? Además, ¿cuánto dinero vas a pagar a esta gente?

Los chicos de la tuna parecían estar muy enojados con Mat y le dijeron:

—Nosotros parecemos personajes mágicos, de un siglo muy lejano. Bailamos y cantamos **al son de** guitarras y panderetas, allí donde se nos llama. Llevamos capas adornadas con cintas de colores, pero somos reales y actuales. Pertenecemos a la tradición estudiantil y se nos conoce en todo el mundo.

Mat les vio **con mejores ojos** y le dijo a su amigo:

—¡Vamos, chico! **No te cortes ni un pelo.** Los de la tuna son muy marchosos: ya verás cómo, al amanecer, tu chica **estará loca por ti.** Al final, les invitas a unas copas… ¡y ya está!

En la plaza de San Martín, los faroles iluminaban la iglesia que estaba junto a la casa de Beatriz. Sólo se veían las sombras oscuras de las cruces, los arcos y los rincones solitarios. La tuna comenzó a cantar canciones románticas:

—¡Aupa, tuna!    *Sal, niña hermosa,*
*sal a tu balcón,*
*que un estudiante*
*te canta con pasión*
*horas de ronda*
*que jamás olvidarás.*

—Mat, estoy arrepentido de esto. Pronto amanecerá y nadie sale al balcón.

—No, ¡mira! —dijo Mat— ¡Alguien se asoma! Será ella, Beatriz… ¡Mira! Es una mujer mayor, con **cara de pocos amigos.**

Todos miraron hacia arriba y un torrente de agua cayó sobre ellos.

—Estamos empapados, ¿qué ha pasado?

—¡Ya está bien de **dar la noche**! —gritó la mujer—. En este barrio sólo vivimos las monjas. ¡Id a otra parte con la música! Basta ya de **actuar a lo loco**, chicos!

—¡Que Dios les bendiga! —gritaron los de la tuna, mientras marchaban, riéndose por la broma.

No tuvieron más remedio que **irse con la música a otra parte**.

Después de aquella noche, siguieron buscando a Beatriz, pero con tan mala suerte que no pudieron encontrarla. Recorrieron casi todas las calles, callejuelas y callejones, preguntando por ella. Por fin, una señora les dio una pista:

—¡Ah, sí!, pero con ese nombre, nadie la conoce. Todo el mundo la llama Bea. Se ha ido a Madrid a estudiar. ¡No está aquí!

## Tertulia en el café

Regresaron a Madrid y allí se reunieron de nuevo con su pandilla. Solían reunirse en el café Gijón para hacer sus tertulias, en las que hacían todo tipo de críticas literarias, sociales y culturales. Ellos se divertían y cambiaban impresiones:

—Si puedo me quedo a vivir en España y si es con Bea, pues mucho mejor —dijo Rob.

—¡Qué fuerte! No sé cómo dices eso. Realmente, ¿vivirías en una ciudad pequeña, como Segovia? Estás loco de remate. Si no la encontraras sería mejor para ti —dijo un chico del grupo.

—¡Yo no estoy loco! Si esto hubiera sido un espejismo, entonces nadie la habría visto en toda la ciudad.

—Tal vez bebiste demasiado. Si la hubieras visto aquella noche en Segovia, nos lo hubiéramos creído.

—Sé que ella está esperándome —dijo Rob—. Yo no puedo olvidar ni su mirada, ni los deseos que tenía de conocer nuevos lugares. **Sueño con** llevarla a Disneyland. ¡Ojalá ella pudiera conocer el rancho donde nací, en Mount Rainier! ¡Qué bien, si mañana la viera, le diría que nos fuésemos juntos de vacaciones! Si pudiéramos salir, haríamos mil cosas.

# En la calle Mayor

Los chicos de la tertulia se despidieron y, una vez que Rob se quedó solo, volvió a la calle Mayor. Alzó la mirada y vio el cielo. Se quedó impresionado por los colores que envolvían la ciudad.

—¡Qué colores! Se mezclan, como en una paleta de pintor, los azulados con los anaranjados, y como fondo aparece el gris oscuro de la noche. Parece como si fuera un cuadro de los que pintó Goya. Yo formo parte de este escenario tan pintoresco y misterioso. La aventura y el romanticismo se han apoderado de mi vida…

Cruzó la plaza cuatro veces. Se metió las manos en los bolsillos de la chaqueta, y sacó una moneda. La tiró al aire y dijo en voz alta:

—Ahora mismo me juego mi destino. Si sale cara, me vuelvo a mi país, pero si saliera cruz, buscaría de nuevo a Bea.

Sin embargo, la moneda cayó al suelo y se coló por entre las rendijas de una alcantarilla.

—¡Ya decía yo que no tengo fortuna! Mi viaje a España ha sido un fracaso. **No puedo vivir sin** ella, porque estoy enamorado. ¡**Cómo deseo** encontrarla de nuevo! Si ahora la viera, no me lo creería. Si tuviera su teléfono, la llamaría.

Comenzó a llover. El agua caía con fuerza. Rob se refugió en un portal con columnas de piedra. A través de los cristales de un bar, unos ojos le miraban. Alguien le gritó:

—¡Hola, Rob!

Rob reconoció su cara y su voz. Entonces gritó con todas sus fuerzas:

—¡Bea, por fin te he encontrado! ¿Dónde te habías metido?

# COMPRENSIÓN Y VOCABULARIO

**Preguntad a vuestro compañero/a por el significado de estas palabras o expresiones:**

*¡Cómo lo deseo! / No puedo vivir sin… / Apoyar a… / Dar la noche / Actuar a lo loco / No cortarse ni un pelo / Al son de… / Descabellada idea / Ver con buenos ojos / Cara de pocos amigos.*

— ¿Podrías explicar esta expresión...?
— ¿Has usado alguna vez esta palabra...?
— ¿Qué quiere decir...?
— ¿Cuál es el contrario de...?
— ¿Qué palabra podemos usar como sinónimo de...?
— ¿Qué palabra sirve para definir... ?

# GRAMÁTICA

1. **Expresión de la condición realizable o irrealizable.**
   **Descubrid en el texto algunas de estas expresiones y situadlas en el cuadro:**

| CONDICIÓN REALIZABLE | CONDICIÓN IRREALIZABLE |
|---|---|
| *Si*+presente+presente/futuro | *Si*+imperfecto+condicional simple |
| | *Si*+pluscuamperfecto+condicional/pluscuamperfecto |

2. **Cambiad el sentido de la historia. Guiaros por el siguiente modelo:**

   1. No estoy enamorado. No voy a Segovia. *Si estuviera enamorado, iría a Segovia.*
   2. No tengo su teléfono. No puedo llamarla.
   3. No tengo suerte. No me quedo en España.
   4. No quiero vivir en una ciudad pequeña. No soy feliz.
   5. No es la mujer de mis sueños. No la quiero.
   6. No vimos a la chica. No te creemos.
   7. No estoy loco. No tengo espejismos.

3. **Preposiciones.**
   **Buscad en el apartado *En los callejones* las siguientes preposiciones y expresiones adverbiales y asociadlas con su valor en el texto:**

*Por, a, desde, a, de, a, en, de, por, bajo, sobre, a, hacia, para.*

Caminamos ................. los callejones. ................. el de San Sebastián se divisaban las murallas ................. la ciudad. Por fin, llegamos ................. unas estrechas callejuelas que confluían ................. una gran avenida con gran cantidad ................. cafés. ................. la noche fuimos ................. rondar ................. Bea. La tuna iba a cantar ................. ella ................. su balcón. Rob pensó que estaba actuando ................. lo loco. Miramos ................. arriba y, sin esperarlo, cayó ................. nosotros un torrente de agua.

# CULTURA

## La tuna.

1. Describid a los músicos que aparecen en la historia.
2. ¿Qué otros tipos de músicos o artistas compararías con los tunos?
3. ¿Qué músicos, artistas o bandas musicales hay en tu ciudad, universidad o escuela?
4. En el apartado **En la calle Mayor,** ¿qué estilos artísticos aparecen?
5. ¿Cómo definirías el romanticismo?
6. ¿Qué escenas románticas aparecen en el texto?
   — Descripciones de lugares.
   — Situaciones.
   — Expresiones.

# ANÁLISIS DE LA ESTRUCTURA

**Poned un título a cada uno de los apartados de la estructura. En grupos de dos, podéis haceros las siguientes preguntas:**

| Introducción | Paso 1 | Paso 2 |
|---|---|---|
| | ¿Qué palabras se relacionan con *calle*? Describe los callejones por donde pasan los chicos. | ¿Qué sabes de la tuna? ¿Por qué rondan a Beatriz? |
| Desarrollo | ¿Qué acontecimientos ocurren durante la noche? | ¿Qué sabes sobre las tertulias? ¿Qué ocurrió en la calle Mayor? |
| Cierre | ¿Qué es un marco pintoresco? ¿Con qué pinturas compara el color de la ciudad? | ¿Qué te parece el final de la historia? ¿Cómo lo modificarías? |

# DEBATE

**Comentad la expresión** *irse con la música a otra parte.*
**¿Qué podemos comentar en una tertulia cultural en la clase?**

# X.   La catedral: Burgos

## La nieve

Continuaron sus aventuras cuando volvieron a viajar con un grupo formado sólo por chicas. Ayano era japonesa; Mary, de Inglaterra; Desi, de Brasil. Aprovecharon una de esas fiestas largas que se llaman *puentes* para pasar unos días fuera de Madrid. Decidieron alquilar entre todos una **casa rural** en un pueblecito llamado Castillo del Príncipe. Estaban interesados en visitar la capital de la provincia, Burgos, puesto que tenía una colosal catedral que se alzaba en medio de la ciudad. Estaban en el norte de España y, en invierno, las temperaturas son allí muy bajas. La primera impresión que les causó todo lo que vieron fue inolvidable.

—¡**Hace un frío que pela**! Parece una ciudad de hielo, en la que tanto los edificios como las personas estuvieran congelados —dijeron las chicas, mientras jugaban con la nieve en la calle.

Veían cómo los copos de nieve cubrían los tejados de las casas y cómo el hielo impedía que el agua del río Arlanzón siguiera su curso. El puente de piedra, con sus cuatro ojos, también parecía observarlo todo. Sin embargo, él estaba allí desde hacía ya muchos siglos.

—¡Esto resulta muy emocionante! ¡Mirad, chicos!, vamos a entrar en Burgos por una impresionante puerta llena de estatuas, que se llama Arco de Santa María —dijo Desi, mientras leía la guía turística—. ¡Nunca había visto una cosa igual!

—Oye, ¡qué interesante es esta cultura! —comentó Ayano—. Aquí todo son nombres de santos y santas, reyes y reinas. Mi nombre **no pega** mucho en este ambiente tan medieval. ¿Por qué no probáis a llamarme Jimena, o Águeda?

—**No es por nada**, pero ¡ya estoy harto de vuestros comentarios históricos y culturales! Son de una gran sensibilidad, pero tengo los pies congelados —dijo Rob—. Ésta es una ciudad moderna, así que os propongo que vayamos a divertirnos a un mesón. Allí podremos tomar unas tapas de morcilla, queso, chorizo… y beber un buen vaso de vino de la ribera del Duero.

Por fin, después del almuerzo, visitaron la catedral. Una guía, que se llamaba Jimena, les estaba esperando:

—Para comenzar, les diré que en Castilla nació el idioma castellano. Como habrán podido apreciar, hay iglesias y monumentos por todas partes. Tengo el orgullo de decirles que la catedral es la **obra cumbre** del arte gótico español.

—¿Cuándo se construyó? —preguntó Desi.

—Tiene varias etapas. Comenzó a construirse en el siglo XIII, por el rey Fernando III el Santo.

—¡Miren! —señalaba Jimena—, es de planta de cruz latina, con tres naves, girola y nave transversal. ¡Observen cómo en el centro hay un gran rosetón multicolor, por donde entra la luz! Les tengo que decir que siempre me quedo admirada mirando las torres, porque son tan afiladas como agujas. Se construyeron en el siglo XV.

# Jimena

Mat miraba extasiado a la chica. No le importaban las capillas, ni el rosetón, ni las vidrieras. Sólo intentaba poder acercarse a ella. Quería pedirle su número de teléfono para verla un rato a solas. Pensaba en silencio mientras la observaba:

—¡Qué piel tan fina tiene! Su cara es como la porcelana. En esta oscuridad tan misteriosa de la catedral, sus ojos brillan como… como un rayo de luz. Su voz es suave y, al mismo tiempo, firme. Habla despacio para que lo entendamos todo.

Jimena continuaba explicando:

—Hay innumerables capillas: la del Santo Cristo de Burgos, la de la Presentación, la de la Visitación, la de Santiago y San Juan… Aquí podéis ver un claustro del siglo XIII, que **consta de** cuatro naves; a su alrededor hay muchos sepulcros de reyes, nobles y obispos. En este crucero descansan juntos los restos de Rodrigo Díaz de Vivar, el Cid, y los de su esposa, doña Jimena.

Entonces, Mat aprovechó el momento y dijo:

—Sin Jimena, él no hubiera sido un héroe. ¡Qué bonito nombre, Jimena! Si ella fue tan hermosa como tú, no me extraña que el Cid se enamorara.

La muchacha se acercó a él y le comentó al oído:

—Muchas gracias por el **cumplido**, pero cuando trabajo no me gusta que me interrumpan. ¿De acuerdo?

Mat pensó:

—¡Qué carácter tan fuerte, el de las burgalesas!, pero… no importa, porque me gusta mucho. Todo en ella me gusta, su pelo largo y rubio, sus ojos del color de la miel y su estatura. No es ni alta, ni baja; ni gorda, ni delgada. Es especial, aunque su carácter sea tan...

Volvió a intentar de nuevo quedar con ella:

—Escucha, ¿por qué no tomamos algo juntos?

Ella le contestó secamente:

—¡**Ni hablar**! Lo siento, pero nunca tomo nada con los turistas y, además, tengo mucha prisa. Me esperan en casa.

# La casa rural

Cuando, por fin, llegaron a Castillo del Príncipe, sólo veían una amplia llanura sin apenas árboles. El horizonte se confundía con el cielo y a lo lejos apareció el castillo que daba nombre a la población. A su alrededor había casas de piedra; otras, de adobe. Las gentes iban y venían por las calles. Un rebaño de ovejas se cruzó con el coche. En lo alto de la colina apareció el castillo. Su fachada era de piedra y en el centro se distinguía un gran escudo con dos leones y un perro cazador. Vieron a una chica muy joven que, desde un torreón, les daba la bienvenida. Ayano, entusiasmada, señaló con la mano y comunicó a sus amigos:

—¡Qué bien! ¡Ya hemos llegado! Este castillo es la casa rural.

—¡No es posible! —dijo Mat— ¡Ella está allí!

—¿Quién? —preguntaron los amigos.

—¡Pues Jimena! **Estoy loco de alegría** porque voy a volver a verla. ¡Nos estaba esperando!

## COMPRENSIÓN Y VOCABULARIO

**Buscad en el texto el siguiente vocabulario y relacionadlo con su significado:**

| | | | |
|---|---|---|---|
| 1. | *Casa rural.* | a. | No tiene relación. |
| 2. | *Hace un frío que pela.* | b. | Tiene, posee. |
| 3. | *No pega.* | c. | Lo mejor en su estilo. |
| 4. | *No es por nada...* | d. | Casa de pueblo dedicada al turismo. |
| 5. | *Obra cumbre.* | e. | Frase agradable. |
| 6. | *Consta de.* | f. | Me siento muy contento. |
| 7. | *Cumplido.* | g. | La temperatura es muy baja. |
| 8. | *¡Ni hablar!* | h. | No es adecuado. |
| 9. | *Estoy loco de alegría.* | i. | Ni pensar en ello. |

# GRAMÁTICA

## 1. Estilo directo / estilo indirecto.

| yo | él |
|---|---|
| *soy* | *era* |
| *estaba* | *estaba* |
| *llegué* | *llegó* |

## 2. Contad la historia en estilo indirecto:

Yo creo que la ciudad y los habitantes están congelados.
*Ella creía que la ciudad y los habitantes estaban congelados.*

1. Querían pasar unos días en una casa rural.
2. Hace un frío que pela.
3. Vamos a entrar en la ciudad por una impresionante puerta de piedra.
4. Todo esto es muy medieval.
5. Llegaron a la catedral.
6. Os contaré todo sobre Burgos.
7. Cuando trabajo no me gusta que me interrumpan.

## 3. Preposiciones.
### ¿Qué comunican estas preposiciones y expresiones adverbiales?

*después del, a pesar de / a causa de / debido a / en vez de / según / con / sin / aunque / cuando.*

### Completad las oraciones:

1. Creo que ........................ al frío la ciudad está congelada.
2. ........................ la presencia de Jimena él no hubiera sido héroe.
3. ........................ ir a la catedral prefiero ir al mesón.
4. ........................ su carácter era muy fuerte a él le gustó Jimena.
5. El escudo estaba tallado en piedra ........................ dos leones y un perro cazador.

**6.** Por fin ........................ almuerzo visitaron la catedral.

**7.** ........................ llegaron allí sólo vieron una llanura ........................ apenas árboles.

## CULTURA

**1. En grupos, ¿podéis describir las siguientes palabras y buscar ilustraciones?**

*Capilla, rosetón, vidrieras. Planta de cruz latina, naves, girola, claustro, sepulcro, reyes, nobles y obispos.*

**2. ¿En qué periodo de la historia se desarrolló el arte gótico?**

## ANÁLISIS DE LA ESTRUCTURA

**Poned un título a cada uno de los apartados de la estructura. En grupos de dos, podéis haceros las siguientes preguntas:**

| Introducción | Paso 1 | Paso 2 |
|---|---|---|
| | ¿Qué sabes del turismo rural? ¿Dónde está situada la ciudad de Burgos? Comenta cómo es su clima y la historia que tiene. | ¿Qué contrastes tiene la ciudad? Comentad: lo moderno y lo histórico. |
| **Desarrollo** | Describe las partes de la catedral. ¿Cuándo se construyó? ¿Quién fue el Cid? ¿Por qué se enamora Mat de Jimena? | Jimena, ¿te resulta un personaje misterioso o vulgar? ¿Cómo es Castillo del Príncipe? ¿Conoces una ciudad similar? |
| **Cierre** | ¿Cómo termina el día para Mat? | ¿Te gustaría pasar un fin de semana en un castillo? Crea una historia sobre este tema. |

# DEBATE

## Comentad en clase:

— ¿Qué fiestas hay en España?
— ¿Qué es una casa rural?
— ¿Qué es *hacer puente*?

# XI. El Castillo del Príncipe

## Paisajes

Cuando entramos en el castillo, nos reunimos todos alrededor del fuego. La chimenea abarcaba casi toda la pared y las llamas ardían con mucha fuerza, formando múltiples figuras. En este ambiente relajado, escuchamos un documental en la televisión:

> *La Comunidad de Castilla y León no es una zona turística, como pueden ser las zonas costeras. Es diferente. Aquí no hay playas, sino frío en abundancia. Los impresionantes sistemas montañosos que la*

rodean la separan del norte peninsular y del mar Cantábrico. Sin embargo, aunque no es tierra de agua salada, tiene un río muy caudaloso, el Duero. Castilla debe su nombre a la cantidad de castillos y fortalezas que se construyeron en la Edad Media. Eran un medio de defensa frente a las invasiones de los pueblos árabes. En la actualidad muchos de ellos se han reconstruido y se utilizan como hoteles.

En estas tierras se pueden descubrir valles, vegas, sierras y montañas impresionantes. También hay actividades culturales muy variadas, como disfrutar de la gastronomía típica, conocer el folklore y la artesanía; y hasta se pueden descubrir ruinas arqueológicas. El misterio y la diversión están unidos...

—¡Sí! —exclamó Ayano—, podemos elegir entre un montón de ciudades, que, además de tener un valioso pasado histórico y cultural, son divertidas: León, Zamora, Salamanca, Ávila, Segovia, Soria, Valladolid, Palencia, Burgos...

—Si queréis que os diga la verdad, a mí me atrae el **negocio** que **tiene montado** esa chica, Jimena. ¿Por qué no le preguntamos cómo se le ocurrió esta idea? —dijo Rob.

—No eres más que un *enterón*: te quieres enterar de todo —comentó Desi, enfadada.

—Oye, chica: al menos, utiliza bien el lenguaje, porque esa palabra no existe en el diccionario. Se dice *cotilla* —dijo Rob, divertido.

La conversación se interrumpió cuando alguien llamó a la puerta del salón. Todos se miraron, sorprendidos.

—¡Hola!, ¡buenas noches! ¿Molesto? —dijo Jimena—. No pongáis esa cara, que no soy un fantasma. Vengo a ofreceros una taza de chocolate caliente, puesto que, como no hay calefacción, hace mucho frío.

Jimena se sentía observada. Era muy tímida y reservada con los huéspedes, así que se despidió con sequedad:

—¡Hasta mañana!

—No te vayas —dijo Mat—. ¡Que aquí **no nos comemos** a nadie! Quédate a charlar un ratito, puesto que nos encanta tu compañía. ¿Verdad, chicos?

—Sí, claro —dijo Rob—. Haz el favor de quedarte con nosotros, ¡**estás en tu casa**!

—Sí —dijo Ayano—. ¡**Vaya lugar más estupendo** que es este castillo! Ya que no sabemos nada sobre él, ¿por qué no nos cuentas su historia?

Jimena se disculpó diciendo que durante la noche tenía muchas cosas que hacer. Pero Rob insistió:

—No seas tan difícil. Estamos tan interesados y somos tan incapaces de entender todo esto… que necesitamos una buena información. Somos muy interactivos. ¿Qué piensas de nosotros? Yo creo que tú, a pesar de todo, eres muy simpática.

Todos reían la broma. El ambiente era tan distendido que Jimena, sin querer, les contó una historia:

—Este chico habla por los codos. Os diré que el castillo perteneció a mi familia durante muchas generaciones. ¿Habéis visto que en el escudo hay un perro cazador? La razón es que el hijo del rey venía a cazar aquí. Por eso el pueblo se llama Castillo del Príncipe.

—¿Por qué sigues aquí? No entendemos cómo trabajas tanto, si tienes un castillo y eres una princesa —dijo Desi.

## Consejos

La respuesta de Jimena los dejó asombrados:

—No soy una princesa. Mi abuelo no era un noble. Reformó el castillo por fuera, reconstruyó los torreones y la muralla y, por dentro, redujo el número de habitaciones e hizo muchos cuartos de baño. Todo era fantástico,… ¡hasta que nos arruinamos!

—Pero… ¿qué sucedió? —preguntó Mat, intrigado.

—Yo estaba muy deprimida y **me quedé en blanco**. Continuamente repetía: no creo que pueda arreglarlo. ¡**Todo es un asco**! Dudo que **salga adelante**. Si no pagábamos inmediatamente, en un mes **nos quedábamos en la calle**.

—¿Cómo reaccionaste? —preguntó Mat.

—Pues dije: no acepto nuestra suerte. En aquel momento se me ocurrió una idea genial: hice de nuestro hogar una casa rural. Ahora podréis entender por qué no paro de trabajar.

—**Te mereces todo mi respeto**, Jimena. Sinceramente, me ha impresionado mucho tu historia —dijo Ayano—. Creo que los españoles conserváis vuestras tradiciones y tenéis un gran cariño por la familia.

—Sí —dijo Mat—, y tú eres un ejemplo de ello. No tienes por qué estar siempre tan triste.

—No, ahora tengo mucho optimismo y me encuentro muy segura de lo que hago, ¡de verdad! Pero si sigues preguntándome cosas, te voy a cobrar hasta esta conversación, puesto que mañana no podré levantarme temprano.

—Todo te va a salir bien —dijo Mat—. Si quieres, te **echamos una mano.**

—Es que los españoles tenemos un humor muy especial. Somos muy trágicos, pero **nos reímos hasta de nuestra propia sombra.** La próxima vez que vengáis, seguramente seré rica. ¿Sabéis por qué?

—¡No! —dijeron todos con curiosidad.

—Es probable que encuentre, en las bodegas del castillo, el tesoro escondido.

—¿Qué tesoro es ése? —preguntó Mat.

—¡Ah!, ¿no os lo he contado? —dijo ella, riéndose—, pues el que se dejó el príncipe cazador. Los españoles también tenemos mucha imaginación, ¿verdad?

# COMPRENSIÓN Y VOCABULARIO

**Buscad en el texto estas expresiones y haced oraciones con ellas:**

- *No comerse a nadie.*
- *¡Vaya lugar más estupendo!*
- *Te mereces todo mi respeto.*
- *Echar una mano.*
- *Estás en tu casa.*
- *Hablar por los codos.*
- *Montar un negocio.*
- *Quedarse en blanco.*
- *Todo es un asco.*
- *Quedarse en la calle.*
- *Salir adelante.*

# GRAMÁTICA

1. **Descubrid en el texto la causa y las consecuencias de las acciones de los personajes:**

| Puesto que | |
|---|---|
| Por esta razón | |
| Ya que | |
| Entonces | |

**2. ¿Qué clase de oraciones hay en el texto?**

**Expresan deseo:**

**Duda:**
**Finales:**
**Consecuencia:**
**Condicionales:**

**3. Dividid la historia según el momento en el que ocurren los acontecimientos y escribid lo que ocurrió:**

*Al día siguiente, a la mañana, al medio día, al anochecer, al atardecer, al amanecer.*
*Durante, de noche, en verano, en invierno, en abril. Hoy por la mañana, ayer por la tarde.*

## CULTURA

**La familia / las tradiciones.**

## ANÁLISIS DE LA ESTRUCTURA

**Poned un título a cada uno de los apartados de la estructura. En grupos de dos, podéis haceros las siguientes preguntas:**

| Introducción | Paso 1 | Paso 2 |
|---|---|---|
| | ¿Cómo es la zona turística donde están los chicos? | ¿Qué clase de negocio tiene Jimena? |
| Desarrollo | ¿Por qué es Rob un cotilla? | ¿Por qué tienen los españoles un sentido del humor muy especial? |
| Cierre | Imagina una nueva historia y cuéntala. | ¿Te parece Jimena una buena mujer de negocios? |

## DEBATE

**¿Cómo disfrutaríais de la gastronomía, el folklore y la aventura en el campo?**

# XII. La isla

## Un encuentro

Mat Salomon se despertó de su siesta. Estaba tan moreno que parecía un nativo de las islas Canarias. Todas las mañanas, desde hacía quince días, cumplía con su rutina: comía un plátano, se bebía un zumo de frutas tropicales con algo de ron y se ponía su sombrero de paja para caminar por la playa sin pensar en nada. Para él, el año había pasado demasiado rápido. Ya sólo le quedaba **la cuenta atrás** para regresar de nuevo a su país. Se decía a sí mismo:

—Mi billete de avión es para el 15 de agosto. ¿Qué me queda ya **por hacer**? Ya hablo correctamente el español y tengo trabajo en una empresa comercial. Sin embargo, todavía me hubiera gustado hacer más cosas en este país. Me quedan por conocer muchas más ciudades, o bien volver a algunas de las que ya conozco. **Para ciudad bonita**, Toledo; para chica misteriosa y fantástica, Jimena. ¿Volveré otra vez? Tal vez regrese de nuevo para quedarme y enamorarme…

Mat estaba nervioso por el viaje de regreso a su país, pero sabía que aún podría disfrutar de unas vacaciones en la isla. ¿Quién sabe lo que podría ocurrirle?

Por la playa paseaban otros chicos y chicas con sombreros de paja. No se les veía la cara, pero sus andares **le eran familiares**. Queriendo adelantarlos, caminaba por la arena tan deprisa que se cayó encima de una persona:

—Oiga usted… ¡haga el favor de andar con más cuidado! **Hay cada fresco** en la playa, que dan ganas de…

—No se ponga tan histérica, que no lo he hecho **a propósito**. Es que la arena quema tanto, que me he tropezado con su pie. ¿Le he hecho daño?

—¡No, qué va! —dijo la chica, enfadada.

Mat la miró fijamente. Se acercó a ella con mucho cuidado y le dijo:

—¡**Anda, mi madre!** ¡Pero si yo a ti te conozco! ¿Eres tú la chica de Burgos? Sí, tú eres Jimena. Pero… ¿qué haces aquí? ¡Uau, **qué mala pata**…!

—Pues… ya ves: **el mundo es un pañuelo**. Nunca pensé volver a verte. He venido a pasar las vacaciones.

Jimena le miró de arriba a abajo y pensó que Mat estaba muy bien y que era un chico estupendo, así que no dudó ni un momento en invitarle a salir con ella por la noche:

—¿Quieres tomar una copa esta noche en el puerto? Te espero en el bar *Los Ángeles*.

Aquel lugar no parecía España. Se oía hablar en inglés, en alemán, en portugués, en danés y en noruego. Tocaba un grupo de música latina, y una chica cantaba sambas.


## Una pelea

Todo sucedió muy deprisa; tanto, que en cuanto llegó al local, Mat vio a Jimena, sentada junto a la barra. Comenzaron a bailar. Cuando estaban en el centro de la pista, un chico se acercó a ellos y agarró del brazo a Mat, diciéndole:

—Oye, rubio **de pacotilla**, tú no me vas a fastidiar la noche. Aléjate de mi chica, si no quieres que **te parta la cara**.

—Lárgate —gritó Jimena—. ¿No te das cuenta que **estás trompa**? Ya está bien. No eres más que un aguafiestas.

El chico le dio un puñetazo en la nariz a Mat. Otros cuatro le agarraron por los brazos y le **pusieron de patitas en la calle**. Jimena salió con él del local y les dijo:

—Sois insoportables. Me habéis amargado la noche.

—Ya veo que **no tienes pelos en la lengua** y que echas a patadas a todos esos tíos que van detrás de ti —dijo Mat—. ¿Crees que has elegido bien? Mira cómo me han dejado…

—¡Vamos, Mat! —dijo Jimena— ¡Si **estás hecho un toro**! No le has pegado para que no **llegase la sangre al río**, ¿verdad?

Jimena y Mat pasearon por la playa. Brillaban las estrellas y en una duna pasaron la noche. Al amanecer, cada uno tomó un camino. Mat se volvió al hostal y Jimena se quedó paseando por la playa.

—Siempre me pasa lo mismo —pensó Mat—. No se qué le he dicho pero ha enfadado otra vez. No creo que fuera para tanto, pero lo que sí es cierto es que no doy una a derechas. No sé si volveré a verla nuevamente. ¡Sería una casualidad!


## COMPRENSIÓN Y VOCABULARIO

**Buscad en el texto las siguientes expresiones y construid frases con ellas.**

1. *La cuenta atrás.*
2. *Por hacer.*
3. *Para ciudad bonita…*
4. *Le eran familiares.*
5. *Hay cada fresco…*
6. *A propósito.*
7. *¡Anda, mi madre!*
8. *¡Qué mala pata!*
9. *El mundo es un pañuelo.*
10. *De pacotilla.*
11. *Partir la cara.*
12. *Estar trompa.*
13. *Poner de patitas en la calle.*
14. *No tener pelos en la lengua.*
15. *Estar hecho un toro.*
16. *Llegar la sangre al río.*

# GRAMÁTICA

1. **Usos y valores de *por/para*.**
   **Buscad en el texto:**

| por | para |
|---|---|
| *causa* | *finalidad* |
| *locativo* | *locativo* |
| *temporal* | *temporal* |
| *sin* | *comparativo* |

2. **Completad con las siguientes estructuras:**

   Verbo *ser* + adjetivo.
   Verbo *estar* + adjetivo.
   Infinitivo, gerundio y participio.

# ANÁLISIS DE LA ESTRUCTURA

**Poned un título a cada uno de los apartados de la estructura. En grupos de dos, podéis haceros las siguientes preguntas:**

| Introducción | Paso 1 | Paso 2 |
|---|---|---|
|  | ¿En qué situación se encuentra Mat?<br><br>¿Cómo ha sido su experiencia en España? | ¿Cómo es el ambiente en la isla? |
| **Desarrollo** | ¿Por qué Mat es un fresco?<br><br>¿Qué ha hecho aposta? | ¿Cómo actúa Jimena ante la discusión?<br><br>¿Por qué no llega la sangre al río?<br><br>¿Qué expresiones indican violencia en el texto? |
| **Cierre** | ¿Por qué Mat no da una a derechas? |  |

# XIII.  En el puerto

## La fiesta

Mat estaba leyendo el periódico aquella mañana del mes de julio. Se fijó en la sección de sociedad y se dio cuenta de la gran cantidad de gente famosa que pasaba el verano en la isla: reyes y reinas, aristó-cratas, intelectuales y artistas. Pensó:

—No me extraña, porque se está **de miedo** aquí. Tengo todo lo que necesito, en un ambiente fuera de la rutina. Aquí dejo volar mi fantasía. La islita es misteriosa y puedo hacer todo tipo de activida-des. La verdad es que aún tengo tiempo suficiente para explorar el resto de las islas españolas del océano Atlántico: Hierro, Fuerteventura, Las Palmas, Santa Cruz de Tenerife, La Palma y La Gomera.

Se sentía hambriento y decidió ir a desayunar al puerto. Lo que más le llamaba la atención era la gran variedad de desayunos que se ofrecían en los cafés: estilo americano, inglés, alemán o continental. Cada día tomaba uno diferente.

Aquella mañana pidió al camarero que le preparara unos huevos revueltos con el *bacon* bien hecho. Después se le ocurrió tomar algo más:

—Camarero, por favor: añada unas tostadas y, para beber, un zumo natural de naranja.

Mat pensaba en su fracaso de la noche anterior, cuando estuvo con Jimena. Pensó que tal vez hubiese tenido él la culpa.

—Si no me marchara el día 15, podríamos vernos más. Si no fuera tan **patoso**, ella me amaría; si supiera tratar a una chica tan especial, ella no… ¡Ojalá la viera de nuevo!

Seguía pensando en lo mismo de un modo obsesivo:

—Si no ocurrieran estas cosas, todo en la vida sería perfecto; pero no hay más remedio que aceptarlas. Recuerdo ese refrán español que dice: *Lentejas: si quieres, las comes y si no, las dejas.* Al menos, si estuviera aquí Rob, podría pedirle consejo.

De pronto se dio cuenta de algo:

—Ese tipo de la esquina no deja de mirar. No sé qué querrá. Ya he comprado lotería, si es eso lo que quiere. Pero no… es un marinero. Tiene **toda la pinta** de serlo, con esa barba de veinte días, tan desaliñada, y ese gorro azul con el ancla, que se le cae…

Cuando el marinero notó que Mat le había visto, se acercó a él:

—Oye, ¿quieres ir a una fiesta esta noche? Es en el puerto Calero. Se celebrará en el yate de los marqueses del Teide. Toma, ¡cógela! Es una invitación.

Mat extendió la mano y la cogió. Mientras le echaba un vistazo, dijo:

—¿Quién eres? Parece que vas disfrazado… o tal vez seas un marinero…

—Sí y no. Mira, éste es mi traje de trabajo. Así llevo ya un año… Me dedico a la publicidad.

Mat masticó dos chicles de menta y pensó:

—Sí, su traje es auténtico. Este tipo huele a pescado que apesta, no sé de dónde habrá salido, pero me parece que iré a la fiesta del barco.

—¡Cuánta gente elegante hay por aquí! No sé si me dejarán entrar con estas zapatillas de deporte que llevo. Si me diera tiempo, me cambiaría, pero ya no es posible.

Alrededor del barco, el olor a mar y a petróleo se confundía con los perfumes exóticos con olor a sándalo de las chicas que iban llegando. Llevaban vistosos vestidos de seda, con lentejuelas brillantes y perlas de Majórica, que colgaban **descaradamente** de sus orejas y de sus cuellos.

## Sorpresa

Mat observaba desde un ángulo oscuro y pensaba:

—Todas ellas son muy atractivas, porque parecen sirenas inaccesibles y peligrosas. ¿**Se me dispara la imaginación**, o es realidad? No me creo lo que veo: unas son morenas, de pelo ondulado como las olas; otras son rubias como la cerveza. Las hay altas y esbeltas como las palmeras, y otras son bajas y expresivas. ¡Vaya fiesta! Si ahora viera a Jimena, no me lo creería; pero… ¡no! Eso no va a ocurrir. Es completamente improbable.

Mientras tomaba su copa de ron y zumo, miraba por la borda del barco. Entonces, una chica se le acercó y le dijo, alegremente:

—¿Qué haces tan solo, marinero?

—Pues ya ves: nadie me quiere.

—¿Cómo has venido a esta fiesta, si no conoces a nadie?

—Me invitó un marinero, tal vez creyera que yo era un conde o un petrolero millonario. Sí, por eso me invitó a la fiesta. Aquí, en Europa, hay gente **de lo más** extravagante.

Pasado un buen rato, entraron en un camarote. Las luces estaban apagadas. Mat pensó que la chica era muy fresca y **lanzada**, y que quería una aventura con él. ¡No le había dicho nada! La chica se acercó y le dijo al oído:

—No seas tan **creído**, Mat. No pienses que quiero **ligar** contigo. Tengo otra sorpresa para ti.

Las luces del camarote se encendieron. Toda la gente que había visto estaba allí: el marinero del ancla, las chicas con sus vestidos de seda, las sirenas peligrosas. Se quedó tan parado, que no sabía qué hacer ni qué decir. En una esquina del camarote, una chica le miraba fijamente; era Jimena. Él se dio cuenta de que estaba allí esperándole y pensó…

# COMPRENSIÓN Y VOCABULARIO

## Elegid el significado adecuado para cada expresión:

1. *El chico **es un creído**.*
   - **a.** se lo cree todo.
   - **b.** piensa que es el mejor.
   - **c.** crece muy deprisa.

2. *Se me olvidó pagar en el bar, pero **no soy una fresca**.*
   - **a.** no tengo frío.
   - **b.** tengo vergüenza.
   - **c.** soy muy blanca de piel.

3. *Siempre **me lanzo a lo desconocido**, sin importarme las consecuencias.*
   - **a.** soy muy atrevido/a.
   - **b.** no hago nada.
   - **c.** soy especial.

4. *Salí a la calle sin peinar: iba **desaliñada**.*
   - **a.** iba sin arreglar.
   - **b.** estaba muy alegre.
   - **c.** me sentía muy triste.

5. *En la playa al sol se **está de miedo**.*
   - **a.** duele la piel.
   - **b.** es maravilloso.
   - **c.** se llora.

6. *Mat es alto y delgado, pero es un **patoso**.*
   - **a.** tiene los pies grandes.
   - **b.** es como un pato.
   - **c.** le salen mal las cosas que hace o dice.

7. *El marinero tiene **pinta** de ser simpático.*
   - **a.** bebe mucha cerveza.
   - **b.** parece ser.
   - **c.** pinta cuadros.

8. *La chica le besó y pensó que era muy **fresca** y **lanzada**.*
   - **a.** actuó precipitadamente.
   - **b.** tenía poca ropa.
   - **c.** se tiró al suelo.

**9.** *Mat tenía fama de* **creído** *y de querer* **ligar.**

    **a.** se piensa que es muy guapo y atractivo.

    **b.** piensa que todas las chicas le quieren.

    **c.** tiene creencias políticas y religiosas muy firmes.

## GRAMÁTICA

**1. Oraciones condicionales irreales con pretérito imperfecto de subjuntivo y condicional simple. Seguid el esquema del ejemplo:**

*Si tuviera amor sería feliz.*

    **1.** *Si* ...................... (tener) *que elegir entre todas estas islas, me* ...................... (quedar) *en Lanzarote.*

    **2.** *Pidió al camarero que le* ...................... (preparar) *un desayuno.*

    **3.** *¡Ojalá la* ...................... (ver) *hoy de nuevo!*

    **4.** *Si no me* ...................... (marchar) *el día 15, nos* ...................... (poder) *ver más.*

    **5.** *Si no* ...................... (ocurrir) *estas cosas, todo en esta vida* ...................... (ser) *perfecto.*

    **6.** *Si yo no* ...................... (ser) *tan patoso, ella me* ...................... (amar).*

    **7.** *Si* ...................... (saber) *cómo tratar a una chica especial, ella se* ...................... (quedar) *conmigo.*

    **8.** *Si* ...................... (dar) *tiempo, me* ...................... (cambiar) *de ropa.*

    **9.** *Tal vez el marinero* ...................... (creer) *que yo* ...................... (poder) *ser un conde.*

## CULTURA

**En Europa hay gente *de lo más* extravagante.**

## ANÁLISIS DE LA ESTRUCTURA

**Poned un título a cada uno de los apartados de la estructura. En grupos de dos, podéis haceros las siguientes preguntas:**

| Introducción | Paso 1 | Paso 2 |
|---|---|---|
| | ¿Cómo se siente Mat esa mañana?<br><br>¿Qué le atrae de la isla? | ¿Qué actividades puede realizar allí? |
| Desarrollo | ¿Con quién se encuentra en el bar?<br><br>¿Qué pinta tiene el marinero? | ¿Por qué va a la fiesta?<br><br>¿Cómo va vestido?<br><br>¿Qué impresión le causan las personas del barco? |
| Cierre | ¿Crees que Mat y Jimena continuarán la historia? | |

# DEBATE

**Comentad el siguiente refrán español. Utilizad el imperfecto de subjuntivo.**

*Lentejas: si quieres, las comes y si no, las dejas.*

# Clave de los ejercicios

## I.  El comienzo del viaje

**Comprensión y vocabulario:**

Actividad para leer el texto y usar el diccionario en clase.

**a.** 1. ser realista; 2. muy tarde, al amanecer; 3. aburrirse mucho; 4. gente desconocida; 5. ser valiente y decidido para…; 6. ayudar a alguien.

**b.** Adaptarse con facilidad a las nuevas situaciones de la vida: un nuevo país, horarios, comidas, etc.

**c.** 1. ilusionado; 2. alegre; 3. pelo liso; 4. sedentario y realista.

**d.** 1. antes; 2. lo que no ocurre; 3. dar clases de…; 4. volver a…, retomar.

**Gramática:** El profesor/a repasa en clase los tiempos: indefinido, imperfecto, perfecto y trabaja con el texto. Actividad de realización semicontrolada.

**Cultura:** Actividad de realización libre en grupos. Utilizar un mapa de Europa y localizar España. Situar las ciudades españolas que aparecen en el texto.

**Análisis de la estructura:** Preguntas y respuestas interactivas libres.

En parejas. El alumno **A** pregunta al alumno **B**, en el paso 1.

El alumno **B** pregunta al alumno **A**, en el paso 2. Se escriben las respuestas y se exponen en clase.

**Debate**: Actividad de realización libre.

## II.  Retratos

**Comprensión y vocabulario:** El profesor explica que muchas expresiones españolas no tienen nada que ver con lo que dicen, pero que otras sí. Ejemplo: comerse el coco. Coco = cabeza.

**a.** 1. Intentar hacer algo de nuevo; 2. Pensar mucho; 3. Demasiado; 4. Sorprenderse mucho por algo o alguien; 5. Decir que no a una propuesta amorosa; 6. Hacer pasar un mal momento, hacer sufrir; 7. Despistar, engañar; 8. Contraste entre una persona muy baja y otra muy alta; 9. Comentarios; 10. Ser demasiado antipático; 11. Estar enamorado/a; 12. Acción que se desarrolla muy rápidamente; 13. Aventurero, viajero; 14. Muy atractivo; 15. Pensar mucho, comerse el coco; 16. Aventura amorosa pasajera; 17. Fracaso; 18. Enamorarse; 19. Parecerse a...; 20. Primera impresión; 21. Impresionar.

**b.** Actividad semicontrolada con ayuda del diccionario en clase. (Según contexto).

**c.** Actividad semicontrolada con ayuda del diccionario de antónimos.

**d.** Actividad semicontrolada con ayuda del diccionario de sinónimos.

**Gramática:**

1. **Primer paso:** Actividad basada en la lectura del texto (grupos de dos). Actividad semicontrolada. Explicar los diferentes usos de estos verbos. Numerar por partes y líneas.

**Jimena:**

**ser:** Línea 2: soy la novia de Mateo. Líneas 11-12: mi personalidad es ahora más flexible. Línea 13: Mat es un hombre. Línea 19: la verdad es que le di calabazas. Líneas 22-23: su mirada es azul, es cálida. Su cara es redonda.

**estar:** Línea 5: estuvo en muchos pueblos y ciudades. Línea 13: físicamente está muy bien. Línea 28: Estoy segura de.

**parecer:** Línea 24: me pareció un guaperas. Líneas 29-30: os parecerán expresiones cursis. Tu cara parece de porcelana.

**Beatriz:**

**ser:** Línea 3: somos pareja. Línea 19: dejó su hogar siendo muy joven. Línea 22: nuestro romance fue visto y no visto. Línea 33: eran muy diferentes.

**estar:** Línea 7: está como un tren. Líneas 15-16: estoy coladísima por él.

**parecer:** Línea 11: parecemos el punto y la i. Líneas 29-30: parecías una diosa... tus ojos... parecía que hablasen.

**Segundo paso:** Los alumnos/as transforman las expresiones anteriores, según los ejemplos dados.

**Es/Parece + que + indicativo:** Es evidente que Mat es un hombre.
(cierto, indudable, obvio, verdad). Parece obvio que las expresiones son cursis. Parece indudable que su cara parece de porcelana.
**Está + claro/visto/demostrado + que + indicativo:** Está claro que Mat estuvo en muchos pueblos. Está visto que físicamente está muy bien.

**2.** Los personajes A/B pueden ser tanto Jimena o Beatriz como Mat y Rob.
Actividad basada en la lectura del texto y en la comprensión de las anteriores actividades. Realización semicontrolada.

**Cultura:** Actividad basada en los contrastes culturales de los jóvenes, según su país de origen. ¿Cuándo se independizan?

**Análisis de la estructura:** Actividad de preguntas y respuestas de realización interactivo-libre.

**Debate:** Actividad de realización libre.

# III.  Aventureros

**Comprensión y vocabulario:** Actividad escrita, semicontrolada. Formación de nuevas oraciones, práctica de sintaxis y nuevo vocabulario.

* **Esto es la leche:** Conocer todo esto es para mí algo **sorprendente y fuera de lo común. ¡Es demasiado!**

* **Estoy impaciente: Estoy deseando** conocer nuevos lugares. **Tener mucha prisa** no está dentro del contexto. **Me muero de ganas de...**

* **No te pases: No seas exagerado**, chico.

* **Ser un mal pensado:** Tal vez pienses que no creo en nadie. Rob no quiere que Mat piense que él cree que todo es negativo.

* **¡Maldita sea!: Ha sido una mala idea** subir a ese trasto viejo. Hemos tenido **mala suerte** subiendo a ese trasto viejo.

* **¡Me tienes frito!:** Estoy **muy cansado** de tus sospechas.

* **Ver con los propios ojos: Quiero convencerme por mí mismo** de que existen las mezquitas, las plazas...

**Gramática:**

**1.** Actividad semicontrolada. El profesor/a recuerda este tiempo verbal.

**2.** Actividad basada en la lectura y análisis gramatical del texto. Semicontrolada; numerar líneas.

93

**En la noche:** Línea 27: Si nos hubiéramos informado. Línea 28: ¡Ojalá lo hubiéramos hecho!

**Al amanecer:** Línea 5: Si no hubiéramos subido. Línea 19: Si hubiera vivido aquí…

**El desayuno:** Línea 5: Si hubiera aparecido una princesa…

**3.** 1. ¡Ojalá hubieran existido!; 2. ¡Ojalá que hubiera seguido!; 3. ¡Ojalá que no se hubieran dormido!; 4. ¡Ojalá que no se hubieran ido a la aventura!; 5. ¡Ojalá se hubieran informado!; 6. ¡Ojalá lo hubiéramos consultado/hecho!; 7. ¡Ojalá no les hubiera preguntado!; 8. ¡Ojalá hubiera sido un sueño!

**4.** Actividad de realización semicontrolada. Se recuerda la gramática.

**5.** Actividad semicontrolada. Grupos de dos.

**Análisis de la estructura:** Preguntas y respuestas de realización libre basadas en la comprensión lectora del texto. Aplicar léxico y gramática de las anteriores actividades.

**Debate:** Actividad de realización libre. El alumno/a basa algunas de sus opiniones en los ejemplos del texto. ¿Quién fue Miguel de Cervantes?

# IV.  Los patios

**Comprensión y vocabulario:**

1. g; 2. i; 3. j; 4. k; 5. c; 6. l; 7. m; 8. a; 9. f; 10. d; 11. j; 12. h; 13. b; 14. n; 15. ñ.

**Gramática:** Preguntas y respuestas basadas en la comprensión lectora de realización semicontrolada.

**Cultura:** Actividad de realización libre. Prácticas escritas y exposición en clase.

**Análisis de la estructura:** Preguntas y respuestas de realización interactivo-libre. Basadas en la comprensión lectora y en la aplicación de las actividades anteriores.

**Debate: Las palabras y sus orígenes.** Actividad de realización libre basada en la actividad **Comprensión y vocabulario.** Cada grupo selecciona las palabras que guste y hace las preguntas al resto de la clase.

**Otras palabras y expresiones:** 1. No dar crédito a: No creerse algo, o a alguien. 2. Me tienes frito: Estar harto o cansado de alguien. 3. ¡No caigo!: No recuerdo.

# V. Andando el camino

**Comprensión y vocabulario:** 1. d; 2. b; 3. c; 4. a; 5. e; 6. j; 7. g; 8. f; 9. i; 10. h.

**Gramática:**

1.  Actividad de realización semicontrolada basada en las explicaciones del profesor sobre el **pretérito imperfecto de indicativo**. Buscad ejemplos en la lectura y contrastad con otros tiempos verbales.

2.  1. Quizás vayan a la costa del Mediterráneo; 2. Es posible que pasen la noche en un camping, o bien en un hotel. Es posible que cenen gazpacho; 3. Puede que diga que la vida es como un camino; 4. Es previsible que la pasen en el campo; 5. Tal vez tiene sed. Tal vez tenga mucho peso en la mochila; 6. Probablemente quieran compartir experiencias con ellos.

**Cultura:** Actividad de realización libre e intercultural.

**Debate:** Actividad semicontrolada. El profesor/a explica brevemente la obra de este poeta. Corriente literaria del poema: el existencialismo. Preguntas que nos hacemos: ¿de dónde venimos?, ¿adónde vamos?, ¿qué es la vida?

a.  mirar el pasado.

b.  • estelas: huellas que dejan las embarcaciones en el mar; • nada: lo que no existe; • huellas: señales que se dejan; • pisar: poner los pies sobre algo.

c.  algo menos.

d.  • viajero, • carretera, • caminar, • camino y camino.

e.  estelas en el mar.

f.  presente: *Al andar se hace camino*; pasado: *Senda que nunca se ha de volver a pisar*; futuro: *No hay camino, sino estelas en la mar.*

**Análisis de la estructura:** Preguntas y respuestas interactivas, libres.


# VI. Una ciudad romana: Segovia

**Comprensión y vocabulario:** 1. e; 2. h; 3. j; 4. b (con gran dinamismo, mucho); 5. g; 6. a; 7. c; 8. d; 9. k; 10. i; 11. f.

**Gramática:**

1.  a. veas; b. sea; c. hayamos; d. venga; e. tenga; f. es.
2.  **Utilizad los distintos tiempos del subjuntivo.** Actividad semicontrolada: 1. Dudo que lo hayas visto; 2. No creo que vayan; 3. No creo que se lo pidiera; 4. Dudo que ocurriera/esperaran; 5. Espero que ocurran.
3.  Repaso del imperativo negativo. Se utiliza sólo en las personas: *tú, vosotros, usted, ustedes*. Hay casos que no se pueden realizar.

1. No duermas; 2. No me digas; 3. No te lo creas; 4. No vayamos (no se usa);
5. No vengas; 6. No seas; 7. No hables; 8. No lo cojas; 9. No los levantes; 10. No
se usa con *ellos*. Ustedes: no den vueltas por la ciudad / Vosotros: no deis vueltas
por la ciudad.

**Cultura:** Actividades de realización controlada. Investigación cultural. Uso del diccionario y vídeo.

**Análisis de la estructura:** Actividad de preguntas y respuestas libres.

**Debate:** Actividad de realización libre: Modos de diversión en la ciudad.


# VII.  La espada de Toledo

**Comprensión y vocabulario:** 1. g; 2. m; 3. k; 4. a; 5. ñ; 6. d; 7. i; 8. c; 9. n; 10. b;
11. l; 12. e; 13. h (ser de lo más…, muy); 14. f; 15. j.

**Gramática:**

**1.**  1. cuando; 2. para que; 3. hasta que; 4. hasta que; 5. tan pronto como; 6. antes…

**2.**  Actividad de realización semicontrolada.

**Cultura:** Actividad de realización semicontrolada. ¿Qué conoces sobre esta cultura?

**Análisis de la estructura:** Actividad de preguntas y respuestas interactivo-libre.

**Debate:** Actividad creativa de realización libre.


# VIII.  Fiestas

**Comprensión y vocabulario:**

**Ojalá estuvieras en lo que tienes que estar**, en la realidad; Me he enamorado y **me
ha dado muy fuerte**, es decir me he enamorado de verdad; No podemos **contar
contigo para salir**, siempre piensas en ella; **Para una vez que me enamoro** y la
chica no me corresponde; **Deja ya de darme instrucciones**, no me gusta que me
manden…

**Gramática:**

**1.**  Hay verbos irregulares. Estudiar las raíces del pretérito indefinido.
**estuvier**on-**estuvier**a/estuviese; **pudier**on-**pudier**a/pudiese; **tuvier**on-**tuvier**a/tuviese; **fuer**on-**fuer**a/fuese.

**2.**  El estudiante buscará ejemplos en el mismo texto para adaptarlos a los verbos,
según el contexto. Actividad semicontrolada.

1. Le pedí **que estuviera en lo que tiene que estar**; 2. Me aconsejó que **no fuera tan tímido/que no tuviera** miedo al fracaso/**me lanzara a** saltar la hoguera; 3. No pensé que Beatriz no me **hiciera caso** (no me prestara atención)/, **pudiera** ver a Beatriz; 4. Le pidió que no **le diera** instrucciones, Le pidió que **bailara** con él; 5. Me dijeron **que me preparara** para el futuro/**que me decidiera** a saltar la hoguera/**que me creyera** la tradición; 6. No creí **que me decidiera** a saltar la hoguera/**que me atreviera** a saltar.

3. Actividad de realización semicontrolada. El profesor/a repasa estos aspectos gramaticales en clase.

**Cultura:** Actividad semicontrolada: Programas de fiestas o festivales. Fiestas en las que se juega con animales, los toros… Fiestas en las que hay juegos peligrosos, saltar llamas… etc.

**Análisis de la estructura:** Actividad de preguntas y respuestas interactivas, libres.

**Debate:**

1. Los proyectos que salen bien: *El que la sigue la consigue.* ¿Crees en esto? Los fracasos: *El tiempo todo lo cura.*

2. Las corridas de toros, la hoguera de San Juan, los bailes fuera de la discoteca; todo ello, en contraste con las diferentes culturas de los estudiantes. Actividades de realización semicontrolada.


# IX.  Cuatro escenas

**Comprensión y vocabulario:** Actividad controlada por el profesor/a. Comprensión de algunas de las expresiones dadas relacionadas con las partes del cuerpo y otras expresiones con significado ambiguo:

Ejemplos:

— ¿Podrías explicar esta expresión?: *Dar la noche.*

En el texto significa molestar, no dejar dormir a…

• ¿Has usado alguna vez estas palabras?: **1. son, 2. descabellado/a, 3. apoyar, 4. cortarse, 5. pelo, 6. ojos, 7. cara.**

• ¿Qué quieren decir estas palabras en el texto?

• 1. Al ritmo de la música, 2. Loco/a, 3. No es sujetar, es ayudar, 4. No es hacerse una herida, en el texto significa ser decidido: No cortarse ni un pelo; 5. (pelo y cabello es lo mismo; en el texto forman expresiones: atreverse a = descabellada idea); 6. Mirar + buenos ojos significa aceptar, aprobar. 7. Cara + pocos amigos = enfadado/a.

**Gramática:**

1. Si sale cara, me vuelvo a mi país, pero si saliera cruz, buscaría de nuevo a Bea. Si ahora la viera, no me lo creería. Si tuviera su teléfono la llamaría. Si puedo me

97

quedo a vivir en España y si es con Bea, pues mejor. Si no la encontraras sería mejor para ti. Si esto hubiera sido un espejismo, entonces nadie la habría visto en… Si la hubieras visto aquella noche en Segovia, nos lo hubiéramos creído. Si pudiéramos salir, haríamos mil cosas.

**2.** 2. Si tuviera su teléfono, la llamaría; 3. Si tuviera suerte, me quedaría a vivir en España; 4. Si quisiera vivir en una ciudad pequeña, sería feliz; 5. Si fuera la mujer de mis sueños, la querría; 6. Si la hubiéramos visto, te habríamos creído; 7. Si estoy/estuviera loco, tengo espejismos/tendría espejismos.

**3.** Preposiciones: por - desde - de - a - en - de - por - a - a - para - bajo - a - hacia - sobre.

**Cultura:** Actividad libre e intercultural.

La pintura de Goya. Llevar a clase postales o dibujos artísticos. Comentar en grupo lo que representan.

El romanticismo: la aventura, los viajes, la evasión de la realidad…, el gusto por los paisajes pintorescos.

Escenas románticas:

• Descripción de lugares: En la plaza de San Martín, los faroles iluminaban la iglesia que estaba junto a la casa de Beatriz. Sólo se veían las sombras oscuras de las cruces, los arcos y los rincones solitarios. Caminaron por callejones desde donde se divisaban las murallas de la ciudad medieval…

• Situaciones: Sé que ella está esperándome —dijo Rob—. Yo no puedo olvidar ni su mirada, ni los deseos que tenía de conocer nuevos lugares. Sueño con… Si pudiéramos salir, haríamos mil cosas. La tuna comenzó a cantar canciones románticas bajo el balcón de Bea. No puedo vivir sin ella, porque estoy enamorado. ¡Cómo deseo encontrarla de nuevo!…; Comenzó a llover. El agua caía con fuerza…

• Expresiones: Estará loca por ti; actuar a lo loco; Sueño con…

**Análisis de la estructura:** Actividad de preguntas y respuestas interactivas, libres.

**Debate:**

Cuando alguien molesta, se le dice: Vete con la música a otra parte; realmente… ¿Hay momentos en que la música puede llegar a molestar…?

# X. La catedral: Burgos

**Comprensión y vocabulario:** 1. d; 2. g; 3. h; 4. a; 5. c; 6. b; 7. e; 8. i; 9. f.

**Gramática:**

**1 y 2.** Actividades semicontroladas por el profesor/a: repaso del estilo indirecto.

**3.** 1. debido al/a causa del; 2. sin; 3. en vez de; 4. aunque; 5. con; 6. después del; 7. cuando/sin.

**Cultura:** La arquitectura e historia propia de una catedral u otro tipo de arquitectura. Actividad libre y semicontrolada.

**Análisis de la estructura:** Actividad de preguntas y respuestas interactivas, libres.

**Debate:** Tiempo libre y turismo rural. ¿Te gustaría hacerlo? Actividad libre y semicontrolada.

# XI.  El Castillo del Príncipe

**Comprensión y vocabulario:** Actividad dirigida por el profesor/a. Explicar el significado de las expresiones dadas:

1.  Hacer daño, despreciar.
2.  Expresa admiración con ¡vaya! Es increíble; ¡Vaya! indica también fastidio.
3.  Demostrar admiración.
4.  Ayudar.
5.  Es tu hogar.
6.  Hablar demasiado.
7.  Crear un negocio.
8.  No recordar nada.
9.  Deprimente, triste.
10. Sin hogar, sin trabajo.
11. Progresar, prosperar en…

**Gramática: Causa y consecuencias.**

1.  **Actividad controlada por el profesor/a.** Añadir: Así es que/entonces + indicativo; Por lo tanto + indicativo; Total que + indicativo. Por + sustantivos, adjetivos, infinitivos. Ejemplo: Por esta razón, por interés…

    **Ejemplo**

    **Paisajes:**

    **Puesto que** en el salón del castillo había chimenea y hacía calor, todos estábamos muy relajados; **por esta razón** comenzamos a hablar del negocio que tenía montado Jimena, **ya que** nos interesaba mucho su historia. **Entonces**, ella entró y nos ofreció chocolate.
    Vengo a ofreceros una taza de chocolate, **puesto que** hace mucho frío. Jimena era muy tímida, **así que, por esta razón** se despidió con sequedad.
    Ayano dijo: **ya que** no sabemos nada de este lugar, ¿por qué no nos cuentas su historia? **Entonces**, Jimena…

    **Consejos:**

    **Puesto que** mi familia se arruinó y lo perdió todo no paro de trabajar; **por esta razón** hice de nuestro hogar una casa rural…

2. **Actividad semicontrolada:** El profesor/a indica cómo hacer oraciones de este tipo según el contexto de la lectura:

**Duda:** Dudo que salga adelante; ¿Sabéis por qué?; **Ya que no sabemos nada** sobre el castillo cuéntanos su historia.

**Finales: Es probable que** encuentre el tesoro escondido. **Si no** pagamos nos quedamos en la calle. **Por eso** el pueblo se llama Castillo del Príncipe.

**Consecuencia:** Te voy a cobrar..., **puesto que** mañana no podré levantarme. Quédate a charlar, **puesto que** nos encanta tu compañía; **Ya que no sabemos nada** sobre el castillo cuéntanos su historia; **La razón es que** el hijo del rey venía a cazar.

3. **Actividad semicontrolada:** El alumno/a será guiado por el profesor/a. Actividad libre: los alumnos pueden escribir sobre lo que quieran.

**Escribir en la pizarra:**

1. Para introducir una historia: Una vez, un día, el otro día...; Un día de invierno.
2. Para expresar circunstancias: Hasta que, en cuanto, mientras, cuando.
3. Para destacar un suceso importante: Y entonces..., en ese momento, de repente.
4. Para terminar: Total que, al final, después de todo.
5. ¿Cuándo suceden las circunstancias? Durante la noche/por la mañana; al anochecer, al atardecer, ayer por la tarde... etc.

**Ejemplo**

**Paisajes:**

En invierno se pueden hacer muchas actividades, como, por ejemplo, turismo rural. Ayer por la tarde los personajes de la historia, Mat, Rob, Ayano, Desi y Mary, llegaron a Castillo del Príncipe. Al anochecer todos se reunieron junto a la chimenea, puesto que hacía mucho frío. De repente, entró Jimena, la propietaria del negocio. Desde ese momento estuvieron hablando con ella hasta el amanecer. Total, que a la mañana siguiente nadie pudo madrugar.

**Cultura:** Actividad semicontrolada, comentad en clase: *Creo que los españoles conserváis vuestras tradiciones y tenéis un gran cariño por la familia.*

**Análisis de la estructura:** Actividad de preguntas y respuestas interactivas, libres.

**Debate:** Las formas de divertirse, el campo frente a la ciudad. Actividad libre y semicontrolada.

# XII. La isla

**Comprensión y vocabulario**: Actividad controlada por el profesor/a. El profesor escribe en la pizarra las soluciones, las explica y los alumnos buscan sus correlativos. Después escriben oraciones.

1. descontar, tener los días contados; 2. por terminar; 3. la mejor; 4. conocidos; 5. sinvergüenza, sin respeto; 6. con intención, con idea de...; 7. expresión que indica sorpresa; 8. ¡qué mala suerte!; 9. es muy pequeño; 10. de mentira; 11. pegar; 12. borracho/a; 13. echar a alguien de...; 14. decir lo que uno siente sin temor a...; 15. estar muy fuerte y sano; 16. tener una pelea con violencia.

### Gramática

1. Actividad semicontrolada.

   **Por**

   **Causa:** Mat estaba nervioso **por** el viaje de regreso a su país.

   **Locativo:** Se ponía su sombrero de paja para caminar **por** la playa.
   Mat caminaba **por** la arena.

   **Temporal:** Jimena le invitó a salir **por** la noche.

   **Sin:** ¿Qué me queda ya **por** hacer? A Mat le quedan **por** conocer muchas ciudades.

   **Para**

   **Finalidad:** Mat tenía los días contados **para** regresar a su país. Tal vez regrese **para** quedarme y enamorarme. Se ponía su sombrero de paja **para** caminar por la playa. Mat no pegó al chico **para** que no llegara la sangre al río.

   **Temporal:** **Para** Mat el año había pasado demasiado rápido.

   **Comparativo:** **Para** ciudad bonita, Toledo, **para** chica misteriosa, Jimena.
   No creo que fuera **para** tanto.

2. Actividad semicontrolada. Lectura del texto.

   Ser + adjetivo: Ser un aguafiestas; Ser insoportable; No es para tanto; Ser una casualidad.
   Estar + adjetivo: Estar moreno; Estar nervioso; Estar muy bien; Estar trompa; ¡Ya está bien!; Estar hecho un toro.
   Cultura: ¿Cómo es el ambiente nocturno en una ciudad turística?
   ¿Cómo es en tu ciudad de origen?

**Análisis de la estructura:** Actividad de preguntas y respuestas interactivas, libres.

**Debate:** ¿En qué situaciones llega la sangre al río? ¿Debería pasar esto?


# XIII.   En el puerto

**Comprensión y vocabulario:**

1. b; 2. b; 3. a; 4. a; . 5. b; 6. c; 7. b; 8. a; 9. a/b.

**Gramática:** Actividad semicontrolada.

**1.** 1. Tuviera; quedaría; 2. preparase/preparara; 3. viera/viese; 4. marchara/marchase; podríamos; 5. ocurrieran; sería; 6. fuera; amaría; 7. supiera; quedaría; 8. me diera; cambiaría; 9. creyera; podría.

**Cultura:** Actividad interactiva libre.

**Análisis de la estructura:** Actividad interactiva libre.

**Debate:** Actividad semicontrolada y libre.

# Glosario

Pág.

| | | |
|---|---|---|
| 81 | abajo | below |
| 49 | abandonar | to abandon |
| 74 | abarcar | to take on |
| 8 | abierto/a | open |
| 39 | abrir | to open |
| 47 | abuelo/a, el, la | grandfather/mother |
| 47 | abundancia, la | abundance, supply |
| 49 | aburrido/a | bored/boring |
| 9 | aburrir(se) | to get bored |
| 9 | acabar | to finish/end up |
| 7 | academia, la | academy |
| 33 | acaso | perhaps |
| 50 | acceder | to access/go in |
| 21 | accidente, el | accident |
| 54 | acción, la | action |
| 27 | aceituna, la | olive |
| 55 | acento, el | accent |
| 8 | aceptar | to accept |
| 9 | acercar(se) | to approach |
| 47 | acero, el | steel |
| 28 | aclarar | to clarify |
| 55 | acompañado/a | accompanied |
| 53 | acontecimiento, el | event |
| 54 | actividad, la | activity |
| 75 | actualidad, la | currently/news |
| 14 | actualmente | currently |
| 54 | actuar | to act |
| 40 | acueducto, el | aqueduct |
| 8 | acumular | to accumulate |
| 29 | adelantar | to overtake/advance |
| 76 | adelante | in front |
| 8 | además | moreover, also |

Pág.

| | | |
|---|---|---|
| 33 | adentrar(se) | to go inside/penetrate |
| 56 | adiós, el | goodbye |
| 48 | admirable | admirable |
| 48 | admiración, la | admiration |
| 28 | admirar | to admire |
| 70 | adobe, el | adobe |
| 35 | adonde | where |
| 61 | adornado/a | decorated |
| 49 | aficionado/a | fan |
| 68 | afilado/a | sharpened |
| 14 | afortunadamente | fortunately |
| 82 | agarrar | to grip |
| 9 | agosto | August |
| 34 | agotado/a | exhausted |
| 9 | agradecer | to thank |
| 8 | agua, el | water |
| 34 | aguafiestas, el | spoilsport |
| 68 | aguja, la | needle |
| 9 | ahora | now |
| 27 | ahumado/a | smoked |
| 15 | aire, el | air |
| 10 | airear | to air |
| 27 | albahaca, la | basil |
| 27 | albaricoque, el | apricot |
| 27 | alcachofa, la | artichoke |
| 63 | alcantarillado, el | drains |
| 19 | alcázar, el | fortress |
| 9 | alegrar(se) | to be happy |
| 29 | alegre | happy |
| 86 | alegremente | happily |
| 70 | alegría, la | happiness |
| 20 | alejar(se) | to move away |
| 29 | algodón, el | cotton |
| 27 | alimento, el | food |

Pág.

| 8 | allí | there |
|---|---|---|
| 27 | almendra, la | almond |
| 27 | almuerzo, el | lunch |
| 67 | alquilar | to rent |
| 69 | alrededor | around |
| 9 | alto/a | high/tall |
| 20 | alucinar | to hallucinate/ be amazed |
| 63 | alzar | to raise |
| 21 | amanecer, el | dawn |
| 29 | amapola, la | poppy |
| 85 | amar | to love |
| 82 | amargar | to embitter |
| 15 | amargura, la | bitterness |
| 20 | amarillento/a | yellowish |
| 68 | ambiente, el | atmosphere |
| 13 | ambos/as | both |
| 10 | amigo/a, el, la | friend |
| 8 | amistad, la | friendship |
| 40 | amor, el | love |
| 50 | amoratado/a | purplish |
| 70 | amplio/a | wide/broad |
| 21 | amurallado/a | walled |
| 63 | anaranjado/a | orange (-coloured) |
| 56 | ancestral | ancestral |
| 85 | ancla, el | anchor |
| 10 | andar | to walk |
| 81 | andares, los | walks/gaits |
| 42 | andén, el | platform |
| 40 | anfiteatro, el | amphitheatre |
| 86 | ángulo, el | angle |
| 20 | angustia, la | anxiety |
| 29 | anochecer, el | dusk |
| 35 | ansia, el | anguish |
| 85 | anterior | previous |
| 9 | antes | before |
| 14 | anticuado/a | old-fashioned |
| 49 | antigüedad, la | antiquity |
| 21 | antiguo/a | ancient/old |
| 54 | anunciado/a | announced/ expected |
| 85 | añadir | to add |
| 8 | año, el | year |

Pág.

| 86 | apagado/a | quiet/out (light) |
|---|---|---|
| 21 | aparecer | to appear |
| 70 | apenas | hardly |
| 85 | apestar | to stink |
| 46 | apiñado/a | crowded |
| 63 | apoderar | to authorise |
| 61 | apoyar | to support |
| 8 | apreciar | to appreciate |
| 8 | aprender | to learn |
| 47 | apropiado/a | appropriate |
| 21 | aprovechar | to take advantage of |
| 21 | aquí | here |
| 20 | árabe, el | Arab |
| 35 | árbol, el | tree |
| 21 | arco, el | arch/bow |
| 74 | arder | to burn |
| 32 | arena, la | sand |
| 47 | armadura, la | armour |
| 48 | armar | to arm |
| 76 | arreglar | to arrange/fix |
| 56 | arrepentirse | to regret |
| 61 | arriba | above/up |
| 27 | arroz, el | rice |
| 76 | arruinar(se) | to be ruined |
| 8 | arte, el | art |
| 48 | artesanal | craft |
| 75 | artesanía, la | craftsmanship |
| 84 | artista, el, la | artist |
| 76 | asco, el | disgust/ revolting |
| 61 | asomar(se) | to lean out of |
| 20 | asombrado/a | surprised |
| 14 | aspecto, el | appearance |
| 29 | asustar(se) | to be frightened |
| 29 | atardecer, el | dusk |
| 15 | atención, la | attention |
| 29 | atender | to attend |
| 9 | aterrizar | to land |
| 14 | atractivo/a | attractive |
| 14 | atraer | to bring/attract |
| 7 | atrás | behind |
| 32 | atravesar | to cross |
| 22 | atrever(se) | to dare |

| | | |
|---|---|---|
| 15 | aunque | although |
| 48 | auténtico/a | authentic |
| 61 | avenida, la | avenue |
| 10 | aventura, la | adventure |
| 8 | aventurero/a, el, la | adventurer |
| 14 | avergonzar(se) | to be ashamed of |
| 34 | avería, la | fault/breakdown |
| 33 | averiar | to break down |
| 9 | avión, el | aeroplane |
| 54 | ayudar | to help |
| 54 | ayuntamiento, el | town hall/municipal government |
| 48 | azabache, el | jet |
| 27 | azafrán, el | saffron |
| 29 | azúcar, el | sugar |
| 14 | azul | blue |
| 63 | azulado/a | bluish |
| 49 | bailar | to dance |
| 21 | bailarín/na, el, la | dancer |
| 55 | baile, el | dance |
| 7 | bajar | to go/take down |
| 15 | bajo/a | low |
| 61 | balcón, el | balcony |
| 55 | banda, la | band |
| 28 | bandeja, la | tray |
| 55 | banderillero, el | banderillero (bullfighter who uses banderillas) |
| 81 | bar, el | bar |
| 9 | barba, la | beard |
| 81 | barra, la | bar |
| 47 | barrio, el | district/suburb |
| 20 | basarse | to get down |
| 48 | batalla, la | battle |
| 35 | beber | to drink |
| 8 | beca, la | grant/bursary |
| 62 | bendecir | to bless |
| 27 | berenjena, la | aubergine |
| 28 | besar | to kiss |

| | | |
|---|---|---|
| 41 | beso, el | kiss |
| 33 | bicho, el | small animal/brat (child) |
| 9 | bien | good |
| 27 | bienvenida, la | welcome |
| 55 | bigote, el | moustache |
| 80 | billete, el | ticket |
| 28 | blanco/a | white |
| 14 | boca, la | mouth |
| 35 | bodega, la | cellar |
| 63 | bolsillo, el | pocket |
| 56 | bombero, el | fireman |
| 69 | bonito/a | nice/pretty |
| 28 | boquerón, el | type of anchovy |
| 86 | borda, la | board/side |
| 14 | borde | edge (n)/rude (adv.) |
| 21 | botella, la | bottle |
| 42 | brazo, el | arm |
| 22 | brillante | brilliant/shining |
| 14 | brillar | to shine |
| 40 | broma, la | joke |
| 55 | bromear | to joke |
| 54 | bronca, la | argument/row |
| 8 | buen/o/a | good |
| 69 | burgalés/sa, el, la | native of Burgos |
| 46 | buscar | to look for |
| 60 | búsqueda, la | search |
| 48 | caballero, el | gentleman/knight |
| 14 | cabeza, la | head |
| 49 | cabra, la | goat |
| 33 | cabreado/a | annoyed |
| 33 | cada | each/every |
| 8 | caer | to fall |
| 22 | café, el | coffee |
| 8 | cafetería, la | café |
| 35 | caja, la | box |
| 14 | calabaza, la | pumpkin |
| 75 | calefacción, la | heating |
| 33 | calentar | to heat |

| 14 | cálido/a | warm |
|---|---|---|
| 35 | caliente | hot |
| 48 | callar | to be quiet |
| 9 | calle, la | street |
| 60 | callejón, el | small alley |
| 28 | calor, el | heat |
| 9 | caluroso/a | warm |
| 34 | cámara, la | camera (photos)/ chamber (room) |
| 28 | camarero/a, el, la | waiter/waitress |
| 86 | camarote, el | cabin |
| 9 | cambiar | to change |
| 53 | cambio, el | change |
| 33 | caminante, el | traveller |
| 34 | caminar | to walk |
| 14 | camino, el | route/walk |
| 21 | camión, el | lorry |
| 20 | camionero/a, el, la | lorry driver |
| 20 | camisa, la | shirt |
| 33 | camping, el | camp site |
| 20 | campo, el | field |
| 27 | canela, la | cinnamon |
| 49 | cansar | to tire |
| 29 | cantar | to sing |
| 27 | cantidad, la | amount |
| 27 | caña de azúcar, la | sugar cane |
| 55 | caña, la | cane/beer (glass) |
| 61 | capa, la | cape/layer |
| 69 | capilla, la | chapel |
| 67 | capital, la | capital |
| 13 | capítulo, el | chapter |
| 47 | capricho, el | whim |
| 46 | captar | to capture |
| 14 | cara, la | face |
| 14 | carácter, el | character |
| 40 | carcajada, la | loud laugh |
| 76 | cariño, el | affection |
| 42 | carne, la | meat/flesh |
| 20 | carretera, la | road |
| 8 | carta, la | letter |
| 67 | casa rural, la | country house |

| 15 | casa, la | house |
|---|---|---|
| 47 | casco, el | helmet/casing/ centre (town) |
| 8 | casi | almost |
| 54 | caso, el | case |
| 70 | castillo, el | castle |
| 82 | casualidad | chance/ coincidence |
| 14 | catedral, la | cathedral |
| 75 | caudaloso/a | copious/ abundant |
| 68 | causar | to cause |
| 35 | cava, el | cava |
| 70 | cazador/ra, el, la | hunter |
| 55 | celebrar | to celebrate |
| 34 | cena, la | dinner |
| 33 | cenar | to dine |
| 21 | centro, el | centre |
| 29 | cerca | close |
| 49 | cerrar | to close |
| 86 | cerveza, la | beer |
| 27 | cesto/a, el, la | basket/idiot (fam.) |
| 63 | chaqueta, la | jacket |
| 8 | charco, el | puddle |
| 75 | charlar | to chat |
| 85 | chicle, el | chewing gum |
| 8 | chico/a, el, la | boy/girl |
| 74 | chimenea, la | chimney |
| 15 | chocar | to crash |
| 75 | chocolate, el | chocolate |
| 68 | chorizo, el | spicy sausage |
| 20 | cielo, el | sky/heaven |
| 14 | cierto | certain |
| 27 | cilantro, el | coriander |
| 61 | cinta, la | tape |
| 46 | cinturón, el | belt |
| 40 | circo, el | circus |
| 46 | círculo, el | circle |
| 41 | circunstancia, la | circumstance |
| 27 | ciruela, la | plum |
| 39 | cita, la | meeting/date |
| 8 | ciudad, la | city |
| 10 | claro/a | clear |

Pág.

| | | |
|---|---|---|
| 7 | clase, la | class |
| 69 | claustro, el | cloister |
| 48 | cliente, el | customer |
| 32 | climático/a | climatic |
| 77 | cobrar | to collect/earn |
| 15 | cobrizo/a | coppery |
| 33 | coche, el | car |
| 14 | coco, el | coconut |
| 9 | coger | to catch/take |
| 15 | colar | to strain/slip through |
| 86 | colgar | to hang |
| 70 | colina, la | hill |
| 14 | color, el | colour |
| 39 | colosal | colossal |
| 21 | columna, la | column |
| 21 | comentar | to comment |
| 68 | comentario, el | comment |
| 13 | comenzar | to begin |
| 14 | comer | to eat |
| 81 | comercial | commercial |
| 40 | cómico, el | comedian |
| 26 | comida, la | meal/food |
| 27 | comino, el | cumin |
| 10 | compañero/a, el, la | colleague/companion |
| 75 | compañía, la | company |
| 8 | comparar | to compare |
| 33 | compartir | to share |
| 15 | complementar | to complement |
| 54 | comportamiento, el | behaviour |
| 47 | comprar | to buy |
| 48 | comprender | to understand |
| 8 | comunicar | to communicate |
| 9 | concedido/a | conceded/granted |
| 55 | concierto, el | concert |
| 35 | concluir | to conclude |
| 33 | conclusión, la | conclusion |
| 86 | conde, el | count |
| 32 | condiciones, las | conditions |
| 29 | conducir | to drive |
| 40 | confesar | to confess |

Pág.

| | | |
|---|---|---|
| 41 | confianza, la | trust/confidence |
| 61 | confluir | to meet/come together |
| 33 | confundir | to confuse |
| 68 | congelado/a | frozen |
| 8 | conocer | to know |
| 40 | conquistar | to conquer |
| 8 | conseguir | to achieve |
| 8 | consejero/a, el, la | director/advisor |
| 20 | consejo, el | advice/council |
| 76 | conservar | to conserve |
| 14 | considerar | to consider |
| 69 | constar | to be evident/on record |
| 40 | construir | to build |
| 8 | contacto, el | contact |
| 8 | contar | to count |
| 22 | contestar | to answer |
| 85 | continental | continental |
| 20 | continuar | to continue |
| 34 | contrario/a | opposite/different |
| 14 | contrastar | to contrast/compare |
| 8 | contraste, el | contrast |
| 56 | convencido/a | convinced |
| 28 | conveniente | appropriate/convenient |
| 26 | conversación, la | conversation |
| 8 | convertir(se) | to become |
| 40 | copa, la | cup |
| 68 | copo, el | flake |
| 9 | coraje, el | courage |
| 28 | corbata, la | tie |
| 8 | cordial | cordial |
| 13 | correcaminos, el | roadrunner |
| 8 | correctamente | properly/correctly |
| 7 | correo, el | post |
| 55 | correspondiente | corresponding |
| 55 | corrida, la | bullfight |
| 40 | corriente | current |

107

Pág.

| | | |
|---|---|---|
| 61 | cortar | to cut |
| 21 | cortijo, el | farmhouse |
| 14 | corto/a | short |
| 14 | cosa, la | thing |
| 14 | cosmopolita | cosmopolitan |
| 35 | costa, la | coast |
| 74 | costero/a | coastal |
| 8 | costumbre, la | custom |
| 75 | cotilla, el, la | busybody |
| 8 | crear | to create |
| 8 | creatividad, la | creativity |
| 9 | crédito, el | credit/loan |
| 8 | creer | to believe |
| 27 | cristal, el | glass |
| 20 | cristiano, el | Christian |
| 62 | crítica, la | criticism/review |
| 28 | croquetas, las | croquettes |
| 69 | crucero, el | cruise |
| 61 | cruz, la | cross |
| 39 | cruzar | to cross |
| 55 | cuadrilla, la | squad/group |
| 46 | cuadro, el | picture/square |
| 14 | cualidad, la | quality/feature |
| 76 | cuarto de baño, el | bathroom |
| 68 | cubrir | to cover |
| 86 | cuello, el | neck |
| 15 | cuerpo, el | body |
| 47 | cuesta, la | slope |
| 48 | cueva, la | cave |
| 81 | cuidado, el | care |
| 85 | culpa, la | guilt |
| 35 | cultivo, el | crop |
| 7 | cultura, la | culture |
| 8 | cultural | cultural |
| 68 | cumbre | summit |
| 69 | cumplido, el | compliment |
| 56 | cumplir | to carry out/end/reach or turn (birthday) |
| 54 | curar | to cure |
| 27 | curiosidad, la | curiosity |
| 14 | curioso/a | curious |
| 14 | cursi | vulgar |

Pág.

| | | |
|---|---|---|
| 7 | curso, el | course |
| 20 | dama, la | lady |
| 81 | daño, el | harm |
| 9 | dar | to give |
| 33 | debajo | below/under |
| 28 | deber | to have to |
| 21 | decidir | to decide |
| 7 | decir | to say |
| 10 | decisión, la | decision |
| 14 | dedicar | to dedicate |
| 47 | dedicar(se) | to be dedicated/devoted to |
| 75 | defensa, la | defence |
| 14 | dejar | to leave/let |
| 34 | delgado/a | thin/slim |
| 33 | demasiado/a | too + adj. |
| 40 | denario, el | denarius |
| 76 | dentro | within/inside |
| 86 | deporte, el | sport |
| 76 | deprimido/a | depressed |
| 81 | deprisa | quickly |
| 82 | derecha, la | right |
| 85 | desaliñado/a | untidy/slipshod |
| 20 | desaparecer | to disappear |
| 15 | desapercibido/a | unnoticed |
| 26 | desayunar | to have breakfast |
| 21 | desayuno, el | breakfast |
| 61 | descabellado/a | wild/crazy |
| 69 | descansar | to rest |
| 22 | descaro, el | shamelessness |
| 15 | desconcertar | to disconcert |
| 20 | desconocido/a | unknown |
| 40 | describir | to describe |
| 13 | descubrir | to discover |
| 22 | desde | since/from |
| 8 | desear | to desire |
| 8 | deseo, el | desire |
| 49 | desesperado/a | desperate |
| 8 | desgraciadamente | unfortunately |
| 34 | deshacer | to undo |
| 54 | desilusión, la | disappointment |
| 34 | deslumbrar | to dazzle/bewilder |

| | | |
|---|---|---|
| 34 | desodorante, el | deodorant |
| 69 | despacio | slowly |
| 34 | desparpajo, el | self-confidence |
| 8 | despedir(se) | to say goodbye |
| 21 | despertar | to wake up |
| 9 | desplazar(se) | to travel/move |
| 7 | después | after |
| 20 | destartalado/a | untidy |
| 20 | destino, el | destination/destiny |
| 14 | desvelar | to unveil |
| 20 | detener(se) | to stop |
| 14 | detrás | behind |
| 9 | día, el | day |
| 20 | diente, el | tooth |
| 53 | diferencia, la | difference |
| 15 | diferente | different |
| 8 | difícil | difficult |
| 61 | dinero, el | money |
| 15 | dios/a, el, la | God/Goddess |
| 35 | dirigir(se) | to go to/speak to |
| 49 | discoteca, la | discotheque |
| 76 | disculpar(se) | to apologise |
| 27 | discurso, el | speech |
| 47 | discutir | to argue/discuss |
| 85 | disfrazado/a | masked/disguised |
| 9 | disfrutar | to enjoy |
| 33 | disgustado/a | disgusted |
| 86 | disparar | to shoot |
| 76 | distendido/a | stretched out |
| 70 | distinguir | to distinguish |
| 10 | distinto/a | different/distinct |
| 32 | diversidad, la | diversity |
| 75 | diversión, la | enjoyment |
| 34 | divertido/a | fun |
| 40 | divertir(se) | to have fun |
| 60 | divisar | to make out |
| 74 | documental, el | documentary |
| 20 | don, el | gift |
| 9 | dónde | where? |

| | | |
|---|---|---|
| 27 | dorado/a | golden |
| 34 | dormir | to sleep |
| 33 | duda, la | doubt |
| 76 | dudar | to doubt |
| 14 | dulce | sweet |
| 32 | duna, la | dune |
| 76 | durante | during |
| 8 | echar | to throw |
| 28 | edad, la | age |
| 46 | edificio, el | building |
| 28 | elegancia, la | elegance |
| 86 | elegante | elegant |
| 20 | elegir | to choose |
| 8 | embajada, la | embassy |
| 56 | emocionante | exciting |
| 62 | empapado/a | soaked |
| 47 | empedrado/a | paved |
| 27 | empezar | to begin |
| 47 | empinado/a | steep |
| 81 | empresa, la | company |
| 8 | empresario/a, el, la | businessman/woman |
| 53 | enamorado/a | in love |
| 15 | enamorar | to win the love of |
| 14 | enamorar(se) | to fall in love |
| 21 | encaje, el | fitting/inlay/lace |
| 14 | encantar | to charm |
| 29 | encanto, el | charm |
| 86 | encender | to light |
| 81 | encima | above/on top |
| 32 | encinar, el | holm oak |
| 9 | encontrar | to find |
| 34 | encrespado/a | curly |
| 80 | encuentro, el | meeting/encounter |
| 33 | enfadar | to anger |
| 33 | enorme | enormous |
| 15 | enseguida | immediately |
| 42 | enseñar | to teach |
| 15 | ensimismado/a | absorbed in oneself |
| 15 | entender | to understand |

Pág.

| 47 | enterar(se) | to learn/discover |
| 10 | entonces | then |
| 49 | entrar | to enter |
| 27 | entre | between |
| 70 | entusiasmado/a | excited |
| 54 | enumerar | to enumerate |
| 35 | envase, el | packing |
| 63 | envolver | to pack/wrap |
| 9 | equipaje, el | luggage |
| 22 | equivocar(se) | to be mistaken |
| 86 | esbelto/a | slim/slender |
| 60 | escena, la | scene |
| 63 | escenario, el | stage |
| 77 | escondido/a | hidden |
| 7 | escribir | to write |
| 22 | escuchar | to listen |
| 20 | escudero, el | squire/page |
| 47 | escudo, el | shield |
| 14 | escultura, la | sculpture |
| 20 | espacio, el | space |
| 46 | espada, la | sword |
| 13 | especial | special |
| 27 | especias, las | spices |
| 62 | espejismo, el | mirage/illusion |
| 15 | esperar | to wait/hope |
| 8 | espíritu, el | spirit |
| 69 | esposo/a, el, la | husband/wife |
| 86 | esquina, la | corner |
| 48 | establecimiento, el | establishment |
| 20 | estación, la | station |
| 9 | estado, el | state/status |
| 7 | estar | to be |
| 69 | estatura, la | height |
| 32 | estepa, la | steppe |
| 85 | estilo, el | style |
| 7 | estimado/a | dead (letter)/estimated |
| 47 | estrecho/a | narrow |
| 82 | estrella, la | star |
| 39 | estructura, la | structure |
| 9 | estudiante, el | student |
| 61 | estudiantil | student |
| 7 | estudiar | to study |

Pág.

| 8 | estudio, el | study |
| 15 | estupendo/a | wonderful |
| 35 | estúpido/a | stupid |
| 68 | etapa, la | stage |
| 14 | eterno/a | eternal |
| 21 | etiqueta, la | label |
| 40 | evidente | clear/evident |
| 27 | exacto/a | exact |
| 40 | exagerado/a | exaggerated |
| 21 | exclamar | to exclaim/cry out |
| 20 | existir | to exist |
| 8 | éxito, el | success |
| 86 | exótico/a | exotic |
| 27 | expectante | expectant |
| 8 | experiencia, la | experience |
| 15 | explicar | to explain |
| 48 | explorar | to explore |
| 14 | expresión, la | expression |
| 15 | expresivo/a | expressive |
| 69 | extasiado/a | captivated |
| 85 | extender | to extend |
| 15 | extranjero/a, el, la | foreigner |
| 40 | extrañar | to find strange |
| 15 | extravagancia, la | extravagance |
| 86 | extravagante | extravagant |
| 70 | fachada, la | front/façade |
| 41 | fácil | easy |
| 8 | facilitar | to make easier/facilitate |
| 61 | facultad, la | faculty/power |
| 15 | familia, la | family |
| 47 | familiar | familiar |
| 20 | famoso/a | famous |
| 84 | fantasía, la | fantasy |
| 75 | fantasma, el | ghost |
| 15 | fantástico/a | fantastic |
| 20 | faro, el | lighthouse |
| 61 | farol, el | streetlight |
| 28 | fascinado/a | fascinated |
| 48 | fascinante | fascinating |
| 8 | fascinar | to fascinate |
| 21 | fastidiar | to annoy |
| 28 | fastidio, el | nuisance |

110

| Pág. | | |
|---|---|---|
| 35 | fatal | fatal/terrible |
| 56 | feliz | happy |
| 55 | ferial | (of the) fair |
| 21 | fiar(se) | to trust |
| 21 | fiesta, la | party |
| 49 | figura, la | figure |
| 33 | figurar | to shape/figure |
| 20 | fijamente | firmly |
| 21 | fijar(se) | to notice/ pay attention |
| 14 | fin | end/purpose |
| 48 | final, el | end |
| 14 | fino/a | thin/fine |
| 33 | firma, la | signature |
| 69 | firme | firm |
| 14 | físico/a | physical |
| 15 | flechazo, el | arrow shot/love at first sight |
| 8 | flexible | flexible |
| 75 | folklore, el | folklore |
| 63 | fondo, el | background/ depth |
| 8 | forma, la | form/shape/ manner |
| 28 | formal | formal |
| 8 | formar | to form |
| 40 | foro, el | forum |
| 20 | forrado/a | lined |
| 21 | fortaleza, la | fortress |
| 63 | fortuna, la | fortune |
| 40 | foto, la | photograph |
| 54 | fracaso, el | failure |
| 29 | fracción, la | fraction |
| 8 | frase, la | phrase |
| 75 | frente | front/opposite |
| 29 | fresco/a, el, la | bad mannered person |
| 7 | frío, el | cold |
| 27 | frito/a | fried |
| 32 | frondoso/a | leafy |
| 27 | fruta, la | fruit |
| 56 | fuego, el | fire |
| 21 | fuente, la | fountain/source |
| 15 | fuera | outside |

| Pág. | | |
|---|---|---|
| 14 | fuerte | strong |
| 8 | fuerza, la | force/power |
| 32 | furgoneta, la | van |
| 56 | futuro, el | future |
| 20 | galán, el | attractive young man |
| 28 | gamba, la | prawn |
| 81 | ganas, las | desire |
| 40 | gastar | to spend/waste (time) |
| 75 | gastronomía, la | cuisine |
| 33 | gazpacho, el | gazpacho (cold Andalusian soup) |
| 76 | generación, la | generation |
| 76 | genial | brilliant |
| 8 | gente, la | people |
| 40 | gesto, el | gesture |
| 68 | girola, la | retrochoir |
| 40 | gladiador, el | gladiator |
| 69 | gordo/a | fat |
| 85 | gorro, el | cap |
| 8 | gota, la | drop |
| 68 | gótico/a | Gothic |
| 42 | grabar | to record |
| 35 | gracia, la | grace/wit |
| 28 | gracias, las | thanks |
| 22 | gracioso/a | funny/gracious |
| 34 | grados, los | minor orders (Eccl.) |
| 27 | granada, la | pomegranate/ grenade (mil.) |
| 63 | gris | grey |
| 34 | gritar | to shout |
| 62 | grupo, el | group |
| 14 | guapo/a | handsome/ pretty |
| 56 | guardar | to keep/guard |
| 15 | guerrero/a, el, la | warrior |
| 49 | guía, el | guide |
| 61 | guitarra, la | guitar |
| 28 | gustar | to like |
| 7 | haber | to have |
| 40 | habitación, la | room |

111

| Pág. | | |
|---|---|---|
| 9 | hablar | to speak |
| 8 | hacer | to do |
| 21 | hamaca, la | hammock |
| 21 | hambre, el | hunger |
| 85 | hambriento/a | hungry |
| 68 | harto/a | fed up |
| 14 | hermoso/a | beautiful |
| 69 | héroe, el | hero |
| 20 | hidalgo, el | nobleman |
| 68 | hielo, el | ice |
| 27 | hierba, la | grass |
| 27 | hierbabuena, la | mint |
| 27 | higo, el | fig |
| 22 | hijo/a, el, la | son/daughter |
| 81 | histérico/a | hysterical |
| 14 | historia, la | history/story |
| 40 | histórico/a | historic/ historical |
| 15 | hogar, el | home |
| 55 | hoguera, la | bonfire |
| 14 | hola | hello |
| 14 | hombre, el | man |
| 22 | hora, la | hour/time |
| 70 | horizonte, el | horizon |
| 82 | hostal, el | hostel |
| 14 | hostelería, la | inn/hotel industry |
| 33 | hotel, el | hotel |
| 42 | hueso, el | bone |
| 75 | huésped, el | lawn |
| 85 | huevo, el | egg |
| 40 | humanidad, la | mankind/ humanity |
| 34 | humo, el | smoke |
| 15 | humor, el | humour |
| 10 | idea, la | idea |
| 47 | idéntico/a | identical |
| 68 | idioma, el | language |
| 40 | idiota | idiot |
| 49 | iglesia, la | church |
| 27 | ignorante | ignorant |
| 19 | igual | equal |
| 20 | iluminar | to light up/ illuminate |

| Pág. | | |
|---|---|---|
| 55 | ilusionado/a | hopeful/excited |
| 40 | imaginación, la | imagination |
| 15 | imaginar | to imagine |
| 35 | impaciencia, la | impatience |
| 19 | impaciente | impatient |
| 7 | impartir | to give/impart |
| 68 | impedir | to prevent |
| 21 | importar | to import |
| 9 | imposibel | impossible |
| 62 | impresión, la | impression |
| 74 | impresionante | impressive |
| 76 | impresionar | to impress |
| 86 | improbable | unlikely |
| 86 | inaccesible | inaccessible |
| 20 | incertidumbre, la | uncertainty |
| 28 | incómodo/a | uncomfortable |
| 47 | incrustación, la | incrustation/ inlay |
| 20 | indicar | to indicate/ point |
| 34 | indignado/a | indignant |
| 54 | infantil | childish |
| 34 | infierno, el | hell |
| 20 | infinito/a | infinite |
| 8 | información, la | information |
| 20 | informar(se) | to find out |
| 48 | infundir | to instil |
| 56 | ingenuamente | ingenuously |
| 48 | iniciar | to start/initiate |
| 54 | inmaduro/a | immature |
| 55 | inmediaciones, las | neighbourhood/ surroundings |
| 76 | inmediatamente | immediately |
| 48 | inmortalizar | to immortalise |
| 68 | inolvidable | unforgettable |
| 33 | inscripción, la | inscription |
| 76 | insistir | to insist |
| 54 | insoportable | unbearable |
| 41 | inspirar | to inspire |
| 54 | instrucción, la | instruction |
| 53 | integrar(se) | to integrate |
| 84 | intelectual, el, la | intellectual |
| 14 | intenso/a | intense |
| 69 | intentar | to try |

Pág.

| | | |
|---|---|---|
| 76 | interactivo/a | interactive |
| 67 | interesado/a | interested |
| 33 | interesante | interesting |
| 14 | internacional | international |
| 20 | interrumpir | to interrupt |
| 47 | intolerante | intolerant |
| 29 | intrigar | to intrigue |
| 27 | introducir | to introduce |
| 69 | inumerables | countless |
| 75 | invasión, la | invasion |
| 41 | inventado/a | invented |
| 68 | invierno, el | winter |
| 35 | invitación, la | invitation |
| 22 | invitar | to invite |
| 8 | ir | to go |
| 47 | irónicamente | ironically |
| 56 | irrealizable | unachievable |
| 21 | irresponsable | irresponsible |
| 80 | isla, la | island |
| 55 | izquierda, la | left |
| 48 | jaleo, el | row/racket |
| 28 | jamás | never |
| 27 | jamón, el | ham |
| 40 | japonés, el | Japanese man |
| 67 | japonés/a | Japanese |
| 21 | jardín, el | garden |
| 15 | joven, el, la | young man/ woman/boy/girl |
| 47 | joyería, la | jeweller's shop/ jewellery |
| 47 | judería, la | Jewish quarter |
| 49 | judío, el | Jew |
| 35 | juego, el | game |
| 63 | jugar | to play |
| 8 | juntar | to join |
| 21 | junto/a | together |
| 29 | labio, el | lip |
| 47 | laboriosamente | laboriously |
| 33 | labrado/a | worked/carved |
| 9 | lado, el | side |
| 48 | lanza, la | lance/spear |
| 48 | lanzar(se) | to throw oneself |
| 82 | largar(se) | to run away/ clear off |

Pág.

| | | |
|---|---|---|
| 13 | largo/a | long |
| 35 | lástima, la | shame/pity/ compassion |
| 54 | latino/a | Latin |
| 20 | leche, la | milk |
| 7 | leer | to read |
| 15 | legendario/a, el, la | legendary |
| 61 | lejano/a | distant |
| 70 | lejos | far away |
| 7 | lengua, la | tongue |
| 75 | lenguaje, el | language |
| 34 | lentamente | slowly |
| 85 | lentejas, las | lentils |
| 86 | lentejuelas, las | sequins |
| 56 | leña, la | firewood |
| 15 | leñador, el | woodcutter |
| 21 | león, el | lion |
| 8 | letra, la | letter |
| 42 | levantar | to raise/lift |
| 77 | levantar(se) | to get up |
| 19 | libertad, la | freedom |
| 55 | lidiar | to fight a bull |
| 14 | ligue, el | flirting |
| 27 | limón, el | lemon |
| 56 | lista, la | list |
| 33 | listo/a | ready/clever |
| 56 | llama, la | flame |
| 21 | llamado/a | called |
| 13 | llamar(se) | to be called |
| 33 | llanura, la | plain |
| 8 | llegar | to reach/arrive |
| 48 | lleno/a | full |
| 63 | llover | to rain |
| 8 | lluvia, la | rain |
| 81 | local, el | place/premises |
| 48 | localizar | to locate |
| 9 | loco/a | mad |
| 34 | lotería, la | lottery |
| 8 | lugar, el | place/premises |
| 14 | luz, la | light |
| 29 | maceta, la | flower pot |
| 81 | madre, la | mother |
| 8 | madrugada, la | early morning |
| 46 | mágicamente | magically |
| 8 | mágico/a | magic/magical |

| 28 | majestad, la | majesty |
| 32 | majestuoso/a | majestic |
| 29 | mal | bad |
| 21 | maldito/a | damned |
| 35 | maletero, el | trunk/boot |
| 47 | malhumorado/a | bad-tempered |
| 55 | maliciosamente | wickedly |
| 34 | malo/a | bad/evil |
| 21 | malpensado/a | evil-minded |
| 22 | mandar | to send/order |
| 15 | manera, la | manner |
| 20 | manga, la | sleeve/set (tennis) |
| 56 | manguera, la | hose |
| 28 | mano, la | hand |
| 21 | mañana, la | morning |
| 33 | mapa, el | map |
| 8 | mar, el | sea |
| 35 | marcar | to mark/dial (phone)/score (goal) |
| 35 | marchar | to march |
| 62 | marchar(se) | to leave |
| 61 | marchoso/a | fun-loving/lively |
| 85 | marinero, el | sailor |
| 85 | marqués, el | marquis |
| 35 | masía, la | farm |
| 85 | masticar | to chew |
| 8 | material, el | material |
| 20 | mayor | major/main |
| 48 | mayoría, la | majority |
| 29 | mecedora, la | rocking chair |
| 28 | mediano/a | middle/medium |
| 61 | medicina, la | medicine |
| 47 | medieval | medieval |
| 75 | medio, el | middle/means |
| 54 | medio/a | half/average/mean |
| 15 | medir | to measure |
| 9 | mejor | better |
| 10 | melancólico/a | melancholic |
| 15 | melena, la | long hair |

| 27 | melón, el | melon |
| 20 | mendigo, el | beggar |
| 7 | mensaje, el | message |
| 85 | menta, la | mint |
| 76 | merecer | to deserve |
| 7 | mes, el | month |
| 28 | mesa, la | table |
| 33 | meseta, la | tableau |
| 8 | mesón, el | inn |
| 34 | metálico/a | metallic |
| 41 | meter(se) | to get into |
| 63 | mezclar | to mix |
| 19 | mezquita, la | mosque |
| 20 | miedo, el | fear |
| 69 | miel, la | honey |
| 9 | mientras | while |
| 15 | milenario/a | millennial |
| 14 | mirada, la | look |
| 20 | mirar | to look |
| 75 | misterio, el | mystery |
| 22 | misterioso/a | mysterious |
| 27 | mitad, la | half |
| 21 | mochila, la | rucksack |
| 68 | moderno/a | modern |
| 15 | modo, el | mode/manner |
| 48 | molestar | to annoy |
| 21 | molesto/a | annoyed/annoying |
| 8 | momento, el | moment |
| 28 | monarca, el | monarch |
| 33 | moneda, la | coin |
| 62 | monja, la | nun |
| 75 | montado/a | mounted |
| 32 | montaña, la | mountain |
| 74 | montañoso/a | mountainous |
| 54 | montar | to mount/arrange |
| 54 | montón, el | pile |
| 39 | monumento, el | monument |
| 68 | morcilla, la | blood sausage |
| 14 | moreno/a | brown |
| 35 | morir | to die |
| 48 | mosca, la | fly |
| 28 | mostrar | to show |

Pág.

| 49 | motivo, el | motive/reason |
|---|---|---|
| 20 | motor, el | engine |
| 41 | mover(se) | to move |
| 34 | muchacho/a, el, la | boy/girl |
| 21 | mudéjar | Mudejar |
| 55 | mueble, el | piece of furniture |
| 22 | mujer, la | woman |
| 68 | multicolor | multi-coloured |
| 74 | múltiple | multiple |
| 26 | mundo, el | world |
| 47 | muralla, la | city wall |
| 21 | muro, el | wall |
| 8 | museo, el | museum |
| 55 | música, la | music |
| 55 | músico, el | musician |
| 62 | nacer | to be born |
| 14 | nacionalidad, la | nationality |
| 14 | nada | nothing |
| 61 | nadie | nobody |
| 27 | naranja, la | orange |
| 82 | nariz, la | nose |
| 80 | nativo, el | native |
| 41 | natural | natural |
| 35 | naturaleza, la | nature |
| 29 | naturalidad, la | naturalness |
| 68 | nave, la | warehouse/nave |
| 8 | necesario/a | necessary |
| 20 | necesidad, la | necessity |
| 76 | necesitar | to need |
| 14 | negocio, el | business |
| 15 | negro/a | black |
| 81 | nervioso/a | nervous |
| 29 | nieve, la | snow |
| 55 | niño/a, el, la | child, boy/girl |
| 22 | nítido/a | bright/clear |
| 69 | nobel, el | Nobel prize |
| 19 | noche, la | night |
| 27 | nombre, el | name |
| 28 | norma, la | standard |
| 29 | normalidad, la | normality |
| 33 | norte, el | north |
| 15 | notar(se) | to show/note that |

Pág.

| 49 | novela, la | novel |
|---|---|---|
| 13 | novio/a, el, la | boy/girlfriend |
| 9 | nuevo/a | new |
| 42 | número, el | number |
| 9 | nunca | never |
| 69 | obispo, el | bishop |
| 28 | obligación, la | obligation |
| 68 | obra, la | work |
| 8 | observar | to observe |
| 49 | obsesivo/a | obsessive |
| 47 | obstinación, la | stubbornness |
| 85 | océano, el | ocean |
| 15 | ocurrir | to happen |
| 27 | ofrecer | to offer |
| 69 | oído, el | ear |
| 20 | oír | to hear |
| 14 | ojo, el | eye |
| 86 | ola, la | wave |
| 22 | oler | to smell |
| 48 | olor, el | smell |
| 8 | olvidar | to forget |
| 9 | ondulado/a | wavy/uneven |
| 28 | opción, la | option |
| 21 | oportunidad, la | opportunity |
| 8 | oportuno/a | appropriate/timely |
| 77 | optimismo, el | optimism |
| 8 | optimista | optimistic |
| 32 | opuesto/a | opposite |
| 48 | ordenado/a | ordered/tidy |
| 86 | oreja, la | ear |
| 68 | orgullo, el | pride |
| 35 | orgulloso/a | proud |
| 8 | orientar(se) | to point/get one's bearings |
| 49 | oriente, el | Orient/East |
| 27 | origen, el | origin |
| 49 | oscuridad, la | darkness |
| 48 | oscuro/a | dark |
| 9 | ostra, la | oyster |
| 70 | oveja, la | sheep |
| 82 | pacotilla | trash/junk |
| 35 | pagar | to pay |

115

Pág.

| | | |
|---|---|---|
| 8 | país, el | country |
| 32 | paisaje, el | landscape/ scenery |
| 80 | paja, la | straw |
| 8 | palabra, la | word |
| 21 | palacio, el | palace |
| 63 | paleta, la | small shovel |
| 21 | palmera, la | palm tree |
| 61 | pandereta, la | tambourine |
| 62 | pandilla, la | group/gang |
| 28 | pantalón, el | trousers |
| 81 | pañuelo, el | handkerchief/ scarf |
| 56 | papel, el | paper |
| 8 | parar | to stop |
| 15 | parecer | to seem |
| 14 | parecer(se) | to look like |
| 74 | pared, la | wall |
| 15 | pareja, la | couple/pair |
| 28 | parte, la | part |
| 27 | partir | to split/divide |
| 20 | pasado, el | past |
| 81 | pasear | to stroll |
| 61 | pasión, la | passion |
| 32 | paso, el | passage/pass |
| 54 | pata, la | foot |
| 34 | patada, la | kick |
| 21 | patio, el | patio |
| 85 | patoso/a | clumsy |
| 40 | patrimonio, el | heritage |
| 28 | pedir | to ask |
| 68 | pegar | to hit/stick/kick |
| 81 | pelea, la | fight |
| 40 | película, la | film |
| 50 | peligroso/a | dangerous |
| 9 | pelirrojo/a | red-haired |
| 9 | pelo, el | hair |
| 75 | península, la | peninsula |
| 8 | pensar | to think |
| 39 | pensión, la | pension/ guest-house |
| 28 | pequeño/a | small |
| 27 | pera, la | pear |
| 33 | perdido/a | lost |

Pág.

| | | |
|---|---|---|
| 47 | perdonar | to forgive |
| 39 | perezoso/a | lazy |
| 85 | perfecto/a | perfect |
| 86 | perfume, el | perfume |
| 84 | periódico, el | newspaper |
| 33 | perro, el | dog |
| 9 | perseguir | to pursue |
| 27 | persona, la | person |
| 20 | personaje, el | character |
| 14 | personalidad, la | personality |
| 61 | pertenecer | to belong |
| 27 | pesado/a | heavy |
| 28 | pescadito, el | fried fish |
| 27 | pescado, el | fish |
| 34 | peso, el | weight |
| 9 | petición, la | petition/request |
| 86 | petróleo, el | petrol |
| 86 | petrolero/a | petrol tanker |
| 55 | picador, el | picador (horse-mounted bullfighter's assistant) |
| 48 | picar | to prick/peck/ bite |
| 19 | pícaro/a, el, la | crook/villain |
| 8 | pie, el | foot |
| 33 | piedra, la | stone |
| 14 | piel, la | skin |
| 34 | pierna, la | leg |
| 53 | pillar | to catch |
| 33 | pimiento, el | pepper |
| 32 | pinar, el | pine grove |
| 63 | pintar | to paint |
| 46 | pintor, el | painter |
| 63 | pintoresco/a | picturesque |
| 27 | piña, la | pineapple |
| 15 | pirata, el | pirate |
| 21 | piscina, la | swimming pool |
| 62 | pista, la | track/runway |
| 68 | planta, la | plant/floor |
| 40 | plata, la | silver |
| 80 | plátano, el | banana |
| 74 | playa, la | beach |

Pág.

| 19 | plaza, la | square |
|---|---|---|
| 46 | población, la | population/people |
| 8 | poder | to be able |
| 33 | poeta, el | poet |
| 32 | polvoriento/a | dusty |
| 8 | poner(se) | to put oneself |
| 14 | porcelana, la | porcelain |
| 63 | portal, el | doorway |
| 9 | posible | possible |
| 8 | positivo/a | positive |
| 46 | postal, la | postcard |
| 20 | preciado/a | valuable |
| 14 | precisamente | precisely |
| 27 | pregunta, la | question |
| 10 | preguntar | to ask |
| 54 | preocupar(se) | to worry |
| 22 | preparar | to prepare |
| 41 | presentar | to present |
| 27 | presidente, el | president |
| 28 | prestar | to lend |
| 21 | príncipe/princesa, el, la | prince/princess |
| 20 | prisa, la | hurry |
| 7 | privado/a | private |
| 35 | probable | probable |
| 68 | probar | to try/prove |
| 33 | problema, el | problem |
| 53 | producir | to produce |
| 48 | producto, el | product |
| 8 | profesión, la | profession |
| 8 | profesional, el | professional |
| 7 | profesor/ra, el, la | teacher |
| 27 | pronunciar | to pronounce |
| 35 | propietario/a, el, la | owner |
| 19 | propio/a | own |
| 14 | proponer | to propose |
| 49 | protagonista | protagonist/star |
| 28 | protocolo, el | protocol/formalities |
| 21 | provincia, la | province |
| 67 | provinciano/a | provincial |
| 8 | próximo/a | next |
| 9 | proyecto, el | project |
| 56 | prueba, la | test/proof |

Pág.

| 47 | publicidad, la | advertising |
|---|---|---|
| 14 | pueblo, el | town |
| 40 | puente, el | bridge |
| 47 | puerta, la | door |
| 32 | puerto, el | port |
| 39 | punta, la | tip |
| 15 | punto, el | point |
| 82 | puñetazo, el | punch |
| 48 | puro/a | pure |
| 14 | quedar(se) | to remain/stay |
| 54 | queja, la | complaint |
| 54 | quejar(se) | to complain |
| 81 | quemar | to burn |
| 8 | querer | to want/love |
| 68 | queso, el | cheese |
| 48 | quieto/a | quiet/still |
| 29 | quitar | to take off |
| 21 | quizás | perhaps |
| 21 | rabia, la | anger |
| 33 | racional | rational |
| 62 | rancho, el | ranch |
| 9 | rápido/a | fast |
| 33 | raro/a | strange |
| 41 | rato, el | while/time |
| 54 | rayado/a | scratched |
| 14 | rayo, el | ray/beam/flash of lightning |
| 8 | razón, la | reason |
| 50 | reaccionar | to react |
| 42 | real | real |
| 9 | realidad, la | reality |
| 8 | realista | realistic |
| 56 | realizable | achievable |
| 28 | realmente | really/actually |
| 8 | reanudar | to renew/resume |
| 70 | rebaño, el | herd |
| 26 | recepción, la | reception |
| 8 | recibir | to receive |
| 55 | recinto, el | area/spot |
| 33 | recodo, el | turn/bend |
| 35 | recolección, la | harvest |
| 35 | recolectar | to harvest |
| 75 | reconstruir | to rebuild |

117

| Pág. | | |
|---|---|---|
| 8 | recordar | to remember |
| 32 | recorrer | to go over/across |
| 35 | recuperar | to recover |
| 14 | redondo/a | rounded |
| 76 | reducir | to reduce |
| 34 | reflejo, el | reflex |
| 76 | reformar | to reform |
| 85 | refrán, el | saying |
| 27 | refrescante | refreshing |
| 29 | refrescar(se) | to refresh oneself |
| 63 | refugiarse | to take refuge/shelter |
| 27 | región, la | region |
| 7 | regresar | to return |
| 28 | reina, la | queen |
| 35 | reír | to laugh |
| 53 | relación, la | relationship |
| 74 | relajado/a | relaxed |
| 34 | remedio, el | remedy/cure |
| 63 | rendija, la | crack/split |
| 54 | repetir | to repeat |
| 47 | réplica, la | replica/copy |
| 33 | replicar | to copy |
| 40 | representar | to represent |
| 53 | reproche, el | reproach |
| 47 | repujado/a | embossed |
| 55 | res, la | beast/sheep/ox |
| 75 | reservado/a | reserved |
| 9 | residencia, la | residence |
| 61 | respetar | to respect |
| 48 | respeto, el | respect |
| 8 | responder | to reply |
| 9 | respuesta, la | response/answer |
| 69 | resto, el | rest |
| 56 | retirar(se) | to withdraw/retire |
| 20 | retroceder | to step back |
| 61 | reunir(se) | to meet |
| 28 | reverencia, la | reverence |
| 85 | revuelto/a | mixed up |
| 27 | rey, el | king |

| Pág. | | |
|---|---|---|
| 68 | ribera, la | riverbank |
| 35 | rico/a | rich |
| 40 | ridículo/a | ridiculous |
| 41 | rincón, el | corner |
| 8 | río, el | river |
| 15 | rizado/a | curly |
| 35 | rodear | to go around |
| 27 | rojo/a | red |
| 15 | romance, el | romance |
| 39 | romano/a | Roman |
| 63 | romanticismo | Romanticism |
| 15 | romántico/a | romantic |
| 80 | ron, el | rum |
| 61 | ronda, la | round |
| 60 | rondar | to patrol |
| 28 | ropa, la | clothes |
| 68 | rosetón, el | rose window |
| 41 | rostro, el | face |
| 20 | roto/a | broken |
| 14 | rubio/a | blond |
| 75 | ruina, la | ruins |
| 80 | rutina, la | routine |
| 14 | saber | to know |
| 33 | sacar | to take out |
| 75 | salado/a | salty |
| 8 | salir | to leave/go out |
| 75 | salón, el | living room |
| 9 | saltar | to jump |
| 56 | salto, el | jump |
| 34 | saludar | to welcome |
| 8 | saludo, el | greeting |
| 53 | salvar | to save |
| 86 | sándalo, el | sandal |
| 27 | sandía, la | watermelon |
| 82 | sangre, la | blood |
| 49 | santo/a, el, la | saint |
| 84 | sección, la | section |
| 34 | seco/a | dry |
| 15 | secreto, el | secret |
| 60 | secuencia, la | sequence |
| 35 | sed, la | thirst |
| 86 | seda, la | silk |
| 34 | sediento/a | thirsty |
| 14 | segoviano/a | from Segovia |

Pág.

| | | |
|---|---|---|
| 29 | seguir | to follow/continue |
| 9 | seguro/a | safe/secure |
| 32 | semana, la | week |
| 28 | sencillez, la | simplicity |
| 33 | sensibilidad, la | sensitivity |
| 81 | sentado/a | seated |
| 35 | sentar | to sit |
| 15 | sentido, el | sense |
| 9 | sentir | to feel |
| 33 | sentir(se) | to feel |
| 68 | señalar | to point to/signal |
| 8 | señor/a, el, la | man/lady |
| 29 | señorial | noble/stately |
| 75 | separar | to separate |
| 15 | separar(se) | to come apart |
| 69 | sepulcro, el | tomb |
| 75 | sequedad, la | dryness |
| 8 | ser | to be |
| 34 | serio/a | serious |
| 40 | servir | to serve |
| 14 | siempre | always |
| 75 | sierra, la | saw/mountain range |
| 29 | siesta, la | siesta |
| 19 | siglo, el | century |
| 15 | siguiente | following/next |
| 20 | silbato, el | whistle |
| 20 | silencio, el | silence |
| 34 | silencioso/a | silent |
| 28 | simpatía, la | friendliness |
| 34 | simpático/a | friendly |
| 49 | sinagoga, la | synagogue |
| 76 | sinceramente | sincerely |
| 35 | sinfín | a huge number of |
| 86 | sirena, la | siren/mermaid |
| 74 | sistema, el | system |
| 49 | sitio, el | place/siege |
| 8 | situación, la | situation |
| 47 | situado/a | situated |
| 20 | sobre | on |
| 34 | sobresaltado/a | frightened |

Pág.

| | | |
|---|---|---|
| 56 | sobrevolar | to overvalue |
| 62 | social | social |
| 84 | sociedad, la | society |
| 21 | sol, el | sun |
| 33 | soler | to be accustomed to |
| 8 | solicitar | to request |
| 61 | solitario/a | solitary |
| 9 | sólo/a | only |
| 33 | solución, la | solution |
| 29 | sombra, la | shadow |
| 80 | sombrero, el | hat |
| 61 | son, el | sound |
| 41 | sonar | to sound |
| 20 | sonido, el | sound |
| 40 | sonreír | to smile |
| 8 | soñador/a | dreamer/dreamy |
| 33 | soñar | to dream |
| 21 | sorprendido/a | surprised |
| 10 | sorpresa, la | surprise |
| 41 | sosegado/a | calm |
| 21 | sospecha, la | suspicion |
| 48 | sótano, el | basement/cellar |
| 69 | suave | soft |
| 21 | subir | to go up |
| 13 | suceder | to happen |
| 55 | suelo, el | ground |
| 34 | suelto/a | loose |
| 8 | sueño, el | sleep |
| 26 | suerte, la | luck |
| 54 | suficiente | sufficient/enough |
| 33 | sugerencia, la | suggestion |
| 47 | sugerir | to suggest |
| 48 | sujetar | to seize/subdue |
| 22 | sultán, el | sultan |
| 19 | sur, el | south |
| 15 | surgir | to arise/appear |
| 50 | sustituir | to replace/substitute |
| 40 | taberna, la | tavern |
| 7 | también | also |
| 54 | tampoco | neither |

119

Pág.

| | | |
|---|---|---|
| 8 | tantas, las | the early hours of the morning |
| 8 | tapas, las | tapas (snacks) |
| 39 | tarde | late |
| 15 | tarde, la | afternoon/evening |
| 75 | taza, la | cup |
| 68 | tejado, el | roof |
| 20 | teléfono, el | telephone |
| 33 | tema, el | subject/issue |
| 20 | temblar | to tremble |
| 34 | temer | to fear |
| 21 | temor, el | fear |
| 29 | temperatura, la | temperature |
| 49 | templo, el | chapel/temple |
| 77 | temprano | early |
| 8 | tener | to have |
| 35 | tentativa, la | attempt |
| 15 | terminar | to end |
| 62 | tertulia, la | social gathering/soirée |
| 77 | tesoro, el | treasure |
| 40 | testigo, el | witness |
| 10 | tiempo, el | time/weather |
| 34 | tienda, la | shop |
| 8 | tierra, la | land |
| 28 | timidez, la | timidness |
| 75 | tímido/a | timid |
| 15 | tío/a, el, la | uncle/aunt |
| 27 | típico/a | typical |
| 21 | tipo, el | type/bloke |
| 33 | tirar | to throw/pull |
| 34 | tocar | to touch |
| 40 | todavía | still |
| 8 | tomar | to take/eat |
| 10 | tono, el | tone |
| 15 | tonto/a | stupid |
| 55 | torero, el | bullfighter |
| 55 | toros, los | bullfight/bullfighting |
| 14 | torre, la | tower |
| 61 | torrente, el | stream/torrent |
| 76 | torreón, el | tower/turret |
| 33 | tortilla, la | omelette |

Pág.

| | | |
|---|---|---|
| 85 | tostada, la | toast |
| 15 | trabajar | to work |
| 80 | trabajo, el | work |
| 61 | tradición, la | tradition |
| 55 | tradicional | traditional |
| 15 | traer | to bring |
| 40 | tragicomedia, la | tragicomedy |
| 77 | trágicos | tragic/tragedy |
| 85 | traje, el | suit |
| 20 | tranquilizar(se) | to quieten down |
| 49 | transformar | to transform |
| 8 | transparente | transparent |
| 40 | transportar | to transport |
| 68 | transversal | transversal |
| 21 | trasto, el | lumber/junk |
| 14 | tratar | to try/treat |
| 35 | trato, el | treatment |
| 20 | tremendo/a | tremendous |
| 15 | tren, el | train |
| 76 | triste | sad |
| 55 | trombón, el | trombone |
| 82 | trompa, la | horn/trumpet |
| 81 | tropezar | to trip |
| 80 | tropical | tropical |
| 56 | trozo, el | piece |
| 60 | tuna, la | student music group |
| 40 | turista, el | tourist |
| 56 | turno, el | turn/shift |
| 48 | tutear | to address someone as «tú» (you-2nd person singular) |
| 35 | único/a | unique/single/sole/only |
| 8 | unidad, la | unit |
| 75 | unido/a | joined |
| 28 | uniforme, el | uniform |
| 7 | universidad, la | university |
| 75 | utilizar | to use |
| 35 | uva, la | grape |
| 62 | vacaciones, las | holidays |
| 34 | valer | to be worth |
| 20 | valiente, el | brave man |

120

| Pág. | | | Pág. | | |
|---|---|---|---|---|---|
| 75 | valioso/a | valuable | 35 | vid, la | vine |
| 75 | valle, el | valley | 9 | vida, la | life |
| 54 | variado/a | varied | 69 | vidriera, la | stained glass window |
| 85 | variedad, la | variety | | | |
| 68 | vaso, el | glass | 20 | viejo/a | old |
| 75 | vega, la | fertile plain | 56 | vigilar | to watch over |
| 20 | vehículo, el | vehicle | 21 | vino, el | wine |
| 47 | vender | to sell | 35 | viñedo, el | vineyard |
| 9 | venir | to come | 8 | visitar | to visit |
| 39 | ventana, la | window | 15 | vista, la | view/sight |
| 20 | ventanilla, la | small window | 85 | vistazo, el | look/glance |
| 7 | ver | to seem | 86 | vistoso | attractive |
| 54 | verano, el | summer | 14 | vivir | to live |
| 14 | verdad, la | truth | 40 | volar | to fly |
| 8 | verdadero/a | true | 27 | volver | to return |
| 27 | verde | green | 9 | voz, la | voice |
| 33 | verso, el | verse | 14 | vuelta, la | return |
| 86 | vestido, el | dress | 20 | ya | already |
| 28 | vestido/a | dressed | 85 | yate, el | yacht |
| 28 | vestir | to wear/dress | 86 | zapatillas, las | slippers |
| 14 | vez, la | turn/time | 28 | zapato, el | shoe |
| 14 | viajar | to travel | 27 | zona, la | area/zone |
| 32 | viaje, el | trip/journey | 80 | zumo, el | juice |